LES VOYAGES DE

Philibert Tanguay

4. Jell-O-Man

Sylvie Desrosiers

Illustrations de Rémy Simard

la courte échelle

Les éditions de la courte échelle inc.
160, rue Saint-Viateur Est, bureau 404
Montréal (Québec) H2T 1A8
www.courteechelle.com

Dépôt légal, 3ᵉ trimestre 2011
Bibliothèque nationale du Québec

La courte échelle reconnaît l'aide financière du gouvernement du Canada
par l'entremise du Fonds du livre du Canada pour ses activités d'édition.
La courte échelle est aussi inscrite au programme de subvention globale
du Conseil des Arts du Canada et reçoit l'appui du gouvernement du Québec par l'intermédiaire de la SODEC.

La courte échelle bénéficie également du Programme de crédit d'impôt
pour l'édition de livres — Gestion SODEC — du gouvernement du Québec.

Catalogage avant publication de Bibliothèque et Archives nationales du
Québec et Bibliothèque et Archives Canada

Desrosiers, Sylvie

　　　　Les voyages de Philibert Tanguay

　　　　Sommaire : 4. Jell-O-Man.
　　　　Pour enfants de 8 ans et plus.

　　　　ISBN 978-2-89651-563-9 (v. 4)

I. Simard, Rémy. II. Titre. III. Titre : Jell-O-Man.

PS8557.E874V693 2011　　jC843'.54　　C2010-941045-9
PS9557.E874V693 2011

Imprimé au Canada

Sylvie Desrosiers

Malgré son apparence réfléchie, Sylvie Desrosiers aime rire et faire rire. Pour écrire, elle cherche dans ses souvenirs, fouille dans ses carnets. Elle peut se réveiller la nuit si une bonne idée apparaît! C'est elle qui a créé le chien Notdog. Elle écrit aussi des romans destinés aux adolescents, aux adultes, et des textes pour la télévision. Même lorsqu'elle travaille beaucoup, Sylvie éteint toujours son ordinateur quand son fils rentre de l'école.

Rémy Simard

Nul en français et en mathématiques, Rémy Simard décide de faire de petits dessins. Puis de plus grands. Ses dessins se retrouvent dans un livre ou deux, puis trois, quatre... jusqu'à plus de quarante. Rémy ne sait plus combien au juste, car il n'aime pas compter. Il raconte des histoires qui se déploient sous la forme d'albums, de romans jeunesse et de bandes dessinées.

De la même auteure, à la courte échelle :

LES VOYAGES DE

Philibert Tanguay

4. Jell-O-Man

la courte échelle

À Thomas et à André

Un gros merci à la Société de développement des Arts et de la Culture de la Ville de Longueuil (SODAC), qui a soutenu financièrement la création de ce projet complètement loufoque!

Maya Mania

Quand nous avons quitté Philibert dans le tome 3, il venait de rentrer d'un voyage au fond de la mer, pris au piège dans le sous-marin Concombre des mers. Une défense de Roméo le mammouth traîne toujours dans sa chambre et Philibert se disait qu'il fallait bien trouver un moyen de la lui rendre. Mais en cours de route...

CHAPITRE 1
Divin pop-corn

L'idée était la suivante : assister à un concert de MAYA MANIA, notre nouveau groupe préféré à mon frère Olivier et à moi. La potion nous en donnait la possibilité.

Qui est MAYA MANIA au juste ? Il s'agit d'un groupe mexicain qui chante en maya, une langue impossible à comprendre avec des mots imprononçables ! J'ai mis des semaines à apprendre un refrain par oreille ! Heureusement, la traduction est comprise avec le nouveau CD, que je trouve absolument génial et qui a un titre trop fort: NAHUAL, un mot maya qui signifie «être invisible qui est notre double». Il y a une chanson qui me plaît particulièrement et qui parle de maïs. C'est sûr, c'est un sujet un peu faible, mais la musique est trop bonne.

MAYA MANIA ne joue jamais ailleurs qu'au Mexique. Nous avons appris sur le site du groupe qu'il donnait le soir même un spectacle à Playa del Carmen, une petite ville de vacances sur le bord de la mer des Caraïbes, dans une région appelée Riviera Maya, d'où vient le groupe. En fait, on aurait dû partir à la recherche de Roméo le mammouth pour lui rendre sa défense, mais on ne pouvait pas manquer ce concert!

Je suis allé voir Playa del Carmen sur Google Earth et la couleur de la mer, turquoise, m'a inspiré : une bonne baignade dans de l'eau chaude, enfin une eau qui ne donne pas de crampes dans les orteils dès qu'on met le pied dedans, me tentait pas mal.

Évidemment, il y avait l'élément absurde de nos voyages qui risquait de tout bousiller, mais on espérait assister au concert tout de même. On aurait pu être chanceux et que l'élément absurde soit «un concert gratuit dans un monde sans argent».

Mais non.

On s'était bien préparés quand même. Olivier avait concocté la potion secrète en y ajoutant du sable, pour la plage, un peu de sauce à tacos mexicaine, des miettes de tortillas, une goutte de tequila.

J'ai suggéré de verser dans le mélange grumeleux le contenu d'un sachet de croustilles que ma demi-nièce Jeanne a rapporté d'un voyage qu'elle a fait au Mexique, avec ses parents, des croustilles qu'on leur a distribuées dans l'avion d'Aeromexico qui les amenait sur la Riviera Maya. C'était le souvenir qu'elle m'avait rapporté. Pas trop mexicain, mais bon, elle avait eu une petite, très petite, pensée pour moi. J'avais oublié le sachet sur une étagère pleine de poussière et d'autos miniatures, jusqu'à ce que j'allume et me dise que ça pourrait nous aider à nous rendre à destination.

Bref, on se croyait assez près du but, tout en se disant que si ça ne fonctionnait pas comme on voulait, on aurait au moins l'occasion de bronzer un peu. Pas trop quand même, car ç'aurait été un peu louche côté parents. On s'apprêtait à ingurgiter notre mixture quand Velcro, notre chien, est arrivé en trombe dans notre chambre, un sac de pop-corn dans la gueule, poursuivi par ma mère qui criait :

— Ici, Velcro ! Donne !

Pour l'aider, j'ai agrippé le sac, mais Velcro, même s'il est le meilleur des chiens pas de queue du monde, ne cède pas facilement la bouffe qu'il aime particulièrement, ce qui est le cas pour le pop-corn. Le sac s'est déchiré, son contenu s'est éparpillé aux quatre coins de la chambre, Velcro s'est jeté sur son trésor en me remerciant presque de lui avoir facilité la tâche.

Ma mère a réagi comme elle le fait toujours dans ce genre de catastrophe : elle a calmement tourné les talons en nous demandant de ramasser. À quatre pattes, je me suis mis au travail, pendant qu'Olivier faisait semblant de brasser la potion. Je dois avouer que j'ai mangé la moitié du maïs étalé sur le plancher — je suis amateur autant que Velcro. On l'a partagé comme lorsque qu'on regarde un film, enfin, comme lorsque JE regarde un film et que Velcro regarde ma main dans l'espoir que je lui refile un peu de ce délice cinématographique.

Mais nous ne sommes pas partis tout de suite, non. Notre — enfin mon — ménage terminé, nous étions sur le point de sortir pour — supposément — assister à une partie de basket à l'aréna du quartier et boire notre potion pour nous envoler vers l'aventure mexicaine, quand Jeanne s'est montré le bout du nez. Visant notre bouteille en plastique remplie d'un liquide rougeâtre, elle nous a lancé :

— Salut ! Je vous accompagne. Vous allez où ?

Soupirs. On n'avait pas le choix de l'emmener au risque qu'elle révèle notre secret. Cette menace qu'elle nous a faite dès son premier voyage est toujours en vigueur. Elle est formidable, Jeanne, à part ce petit côté chantage qu'elle a développé avec nous. Évidemment, si elle nous avait simplement demandé de l'emmener, on aurait dit non. Ça ne lui laissait pas une grosse marge de manœuvre.

Une fois notre plan compris, elle a insisté pour ajouter un élément de plus à la potion :

— Un ou deux comprimés d'Imodium.

— Pour quelle raison ? lui ai-je demandé.

— Parce que nous risquons d'avoir la turista. Je l'ai attrapée là-bas et j'ai été malade ! Malade ! La fièvre, les tremblements, les vomissements, la diarrhée, je voulais mourir. Ça pourrait nous aider.

Ce fut très facile de nous convaincre.

L'opération «écrasage de pilules» complétée, nous sommes sortis et nous avons trinqué avec un «Holà!» sonore. Jeanne venait de m'apprendre le mot allo, en espagnol ; pas trop dur à retenir puisque c'est le même mot à l'envers.

C'est alors que la voix de ma mère nous est parvenue de la maison :

— Hé ! Les jeunes ! Je vous envoie Velcro !

— Maman ! Non !

Il nous a rejoints au moment où nous commencions à nous dématérialiser. Nous avons compris tout de suite pourquoi elle le mettait dehors : il avait des gaz épouvantables à cause du pop-corn. Impossible de le laisser là : j'ai quasiment tordu la bouteille pour en extraire les gouttes qui restaient et les faire couler dans mes mains, qu'il a léchées.

Et nous sommes partis.

Je suis sur un promontoire dans un petit bosquet adossé à un genre de temple en pierre. Velcro est avec moi. En bas de la falaise, une plage de sable, de l'eau turquoise et limpide. Plus loin, des maisons de bois avec des toits de paille et d'autres édifices en pierre. Je suis dans une cité habitée par des gens assez petits, cheveux noirs, au corps peint. Disons que jusque là tout va bien.

Mais où sont Olivier et Jeanne ?

Hé là ! Mais qu'est-ce que c'est, ces bosses jaunes sur mes jambes ?

Mes mains ! J'ai les mêmes sur les mains !

Mon torse aussi !

Je sens les mêmes bosses dans mon dos, dans mon visage !

Les bosses sont en rangées, alignées serré. Ça ressemble à... des grains de maïs. Je suis couvert de grains de maïs ! Je suis un épi ! Je suis transformé en homme blé d'Inde !

C'est la faute du pop-corn, ça ne fait aucun doute.

CHAPITRE 2
Nahual à poils

Philibert se demandait pourquoi Velcro n'était pas lui aussi transformé en chien-épi, quand il a été découvert par un enfant poursuivant un iguane. Cela a causé tout un émoi chez les habitants de la cité. Normal : on ne rencontre pas un homme blé d'Inde tous les jours.

Amené dans la construction qui ressemble à un temple, il a été laissé sous bonne garde un certain temps, dans une pièce donnant sur la mer, une quinzaine de mètres plus bas. Aucune échappatoire possible. Mille questions lui traversaient l'esprit : « Ces gens

sont-ils pacifiques? Portés sur les sacrifices humains?
Finirai-je dans un pâté chinois?» Puis on l'a amené
devant un personnage visiblement puissant, à en juger
par la déférence des autres à son égard. Un roi.

L'homme s'est approché de Philibert et il s'est...
agenouillé devant lui. Là, Philibert s'est senti un peu
moins stressé.

— Je savais que tu viendrais un jour, oh! toi, Premier Homme, dit le personnage.

— Premier? murmure Philibert qui veut comprendre, mais sait d'instinct fermer sa bouche.

— Je suis ton serviteur, moi, Maxulunté, le roi des
Mayas. Et lui? Tu nous l'as apporté pour qu'on l'offre en
sacrifice! Son sang apaisera les dieux.

Velcro en sacrifice? Il est fou!

— Non, pas de sacrifice pour lui.

— Mais il est dit que le Premier Chien doit être
retourné aux dieux. Il est vrai que le Premier Homme, qui
a été fabriqué à partir de maïs, ne peut connaître sa propre légende qui est venue après. Le chien doit être offert.

— Oui, euh, bon, en fait, il n'est pas le Premier
Chien, il est, euh...

«Pense vite, Phil. Il pourrait être quoi? Je viens à
peine d'arriver, laissez-moi le temps! À lui voir l'air, je
crois que je n'ai pas de temps. Je ne connais rien aux

Mayas, sauf leurs pyramides. Voyons, Philibert, tu dois trouver un moyen de sauver ton chien.»

***

De leur côté, Jeanne et Olivier sont bel et bien débarqués à Playa del Carmen. Mais au lieu de la suite d'hôtels longeant la plage à laquelle ils s'attendaient, ils ne voient que des palmiers, des cocotiers. Au lieu des musiques de jazz-pop-urbain-campagne, ils n'entendent que les oiseaux piailler dans les arbres. À la place de la foule de jeunes en délire attendant la prestation de MAYA MANIA, il n'y a qu'eux, seuls.

— Jeanne, toi qui es déjà venue dans le coin, tu reconnais quelque chose?

— Oui.

Plein d'espoir, Olivier lui demande:

— Quoi?

— Le bleu de la mer, répond Jeanne un petit peu inquiète.

***

Philibert prend le roi Maxulunté à part pour lui parler seul à seul:

— Écoute, Max. Je peux t'appeler Max? C'est plus court. Vois-tu, ce chien n'est pas un chien ordinaire. Il ne peut pas être sacrifié, car c'est ton Nahual.

Le roi sursaute à ce mot et une trace de frayeur apparaît sur son visage :

— Comment?

— Oui, ce chien est ton être double. Tu ne peux pas le sacrifier.

En disant cela, Philibert remercie intérieurement MAYA MANIA pour le titre de son album et l'explication. Il s'en est servi sans grand espoir, mais le truc a fonctionné. Il espère que Maxulunté ne posera pas trop de questions, car il ne connaît rien de plus sur le sujet.

— Mais, homme-maïs, s'écrie le roi, c'est impossible! Le Nahual est invisible le jour! Il reste dans le cœur de son propriétaire et ne sort que le soir.

Philibert doit faire preuve de pas mal de créativité :

— Oui, je sais, ça semble étrange, mais moi, le Premier Homme, j'ai quand même certains pouvoirs et je peux faire apparaître un Nahual à son propriétaire.

— Un chien? Mon Nahual? demande le roi, avec une pointe de déception dans la voix.

— Regarde, il est différent des autres, il n'a pas de queue!

Maxulunté se penche pour constater qu'en effet la queue manque.

— C'est vrai...

— Il te conseillera, te guidera, t'aidera à résoudre les problèmes que tu rencontreras! Chaque fois que tu te poseras une question, regarde dans ces yeux qui brillent d'intelligence et cherches-y la réponse.

Philibert retient son envie de rire; jamais il n'aurait cru dire de Velcro qu'il a des yeux brillants d'intelligence! Il est gentil, Velcro, adorable, fidèle, calme, doux, mais... brillant?

Le roi remercie Philibert de lui avoir donné la chance rarissime de voir son Nahual:

— Réflexion faite, un chien me convient très bien, car je pense partager certaines des qualités de cet animal. Je suis courageux, pas difficile pour la nourriture et un peu gras.

«Est-ce qu'il est sérieux?» se demande Phil.

— Pour fêter cet événement, je vais faire préparer une cérémonie de sacrifice.

— Encore? C'est une manie! Vous ne pourriez pas vous adonner à autre chose? Je ne sais pas, moi, un jeu de société? Un sport d'équipe?

— Nous avons le Pok-ta-pok.

— Le quoi?

— Tu ne connais pas le Pok-ta-pok?

— Non.

— Je t'expliquerai sur le terrain. Pour la cérémonie...

— Non, merci, vraiment. J'ai mal à la tête.

Surpris, Maxulunté tourne les talons en assurant Philibert que des serviteurs s'occuperont de lui.

— Salut, Max...

Avant la fin du jour, Philibert est installé dans une maison près du temple. On lui apporte de la nourriture et des boissons. Toujours couvert de grains de maïs, il se dit qu'il faudra éviter le soleil pour ne pas cuire et exploser d'ici à ce qu'il disparaisse.

Phil a gardé Velcro avec lui, mais il souhaite ardemment que son chien retourne à la maison — c'est possible, après tout Velcro n'a pris que quelques gouttes de la potion. Il n'est pas rassuré. Combien de temps cette histoire de Nahual-chien tiendra-t-elle la route? Il doit bien y avoir un grand prêtre quelque part qui trouvera les dires de l'homme-maïs complètement farfelus.

Il s'imagine Jeanne et Olivier en train de danser sur la musique de son groupe préféré et il les envie. Il regrette d'avoir mangé le pop-corn.

Tandis que le vent se lève et que, çà et là, devant les maisons brillent des feux de cuisson, une ombre longe discrètement la muraille protégeant la cité. Elle saute par-dessus avec aisance. Elle s'avance en rampant sans bruit. Et elle atteint le logement de Philibert. Elle entre, puisqu'il n'y a pas de porte:

— Comme ça, ce chien est le Nahual de Maxulunté ?

Philibert se retourne et se fige d'effroi. Un immense jaguar le regarde en jouant avec ses griffes.

— Ou... i.

— Impossible. Le Nahual du roi, c'est moi.

Comme ça, cette histoire d'un être double est vraie! À moins que l'élément absurde de ce voyage soit cette légende. Ouais. Être transformé en maïs deux couleurs n'est pas si mal non plus, comme côté insensé. Un jaguar jaloux se classe bien aussi dans l'échelle de la folie furieuse.

Il n'est pas content, monsieur le félin. Et il ne se prend pas pour un minable, oh non! Il est, comme il a dit, « l'animal sacré des Mayas, l'intermédiaire entre le monde visible des hommes et le monde invisible des esprits», rien de moins. Par ailleurs, j'ai compris que je n'avais rien à craindre de lui quand il a lancé un «Pouah!» dédaigneux après m'avoir reniflé. Il ne mange que de la chair fraîche et déteste le maïs.

Je crois que ce jaguar souffre de solitude, car il n'arrête pas de parler. Il a peut-être besoin d'un ami auquel se confier?

— Dis-moi, Jag, tu as eu des problèmes dernièrement?

— Non, à part me faire piquer mon rôle de double du roi.

— Tu pourrais prendre des vacances, pendant qu'on est là, découvrir un nouveau coin de jungle, rencontrer une jolie et gentille femelle jaguar.

— Gentille n'est pas un qualificatif qu'on emploie pour la femelle jaguar. Pour les mâles non plus d'ailleurs.

— Écoute, peux-tu ne pas être le Nahual du roi pendant que Velcro est là? Sinon, ils vont offrir mon chien en sacrifice!

Le jaguar tourne autour de moi, finit le reste d'iguane grillé que j'ai reçu comme souper et que je me suis empressé de lui offrir. Je dois dire que ses crocs sont très impressionnants; je souhaite qu'il parte avant de développer un goût soudain pour les légumes.

Il s'allonge en se lavant les pattes:

— Qu'est-ce que tu me donnes pour ça ?

— Hein ?

— Qu'est-ce que tu me donnes pour que je te laisse le champ libre provisoirement ?

Je n'en reviens pas d'entendre cette phrase bien connue :

— Tu ne connaîtrais pas un certain Roméo le mammouth, par hasard ?

— Non, je devrais ?

— Vous pourriez venir de la même famille... Qu'est-ce que tu veux ?

— Hum. Je vous donne deux jours. Si vous n'avez pas déguerpi, je te garantis que ton chien ne sera pas sacrifié.

— Ouf !

— Je le mangerai.

***

— Olivier...

— Oui...

— J'ai chaud, j'ai soif et j'ai faim.

— Moi aussi.

— J'ai peur, en plus.

— Moi aussi.

— Je me fais piquer par les moustiques.

— Moi aussi.

— Mes sandales à talons me donnent mal aux pieds.

— Moi... euh... non.

— Entends-tu ? Ça bouge dans la jungle ! Une panthère ?

— Il ne faut pas t'inquiéter : il ne nous arrivera rien.

— Comment peux-tu en être si sûr ?

— Il ne m'arrive jamais rien lors de nos voyages ! C'est toujours Philibert qui est au cœur de l'aventure. Nous allons probablement rester ici bien sagement jusqu'à ce que la potion cesse de faire effet et... mais lâchez-nous ! Jeanne !!!!

***

Ce matin, le premier à me rendre visite a été le grand prêtre. En pénétrant dans ma maison, il s'est prosterné devant Velcro, qu'il croit donc lui aussi être vraiment le double de son roi. Mon chien m'a regardé avec le point d'interrogation qu'il a souvent dans l'œil et qui signifie : qu'est-ce que je dois faire ? Il a reçu une offrande de miel qu'il a bouffée en deux secondes, et à moi, en tant que Premier Homme, on a offert du beurre. Je me suis demandé si je devais l'étendre sur mon corps.

Ensuite, c'est une foule curieuse qui s'est massée près de ma porte. Des enfants qui riaient de moi, c'est sûr, des femmes qui me présentaient leurs bébés, des hommes qui me montraient leurs blessures et leurs cicatrices en m'expliquant d'où elles provenaient, d'une flèche empoisonnée, d'une morsure de serpent, d'une attaque de jaguar. Pas joli! Qu'espèrent-ils? Que je les guérisse? Il faut qu'on disparaisse avant le retour de Jag.

Être homme blé d'Inde ne se compare pas à être empereur de Rome*, mais c'est assez cool. J'ai eu la chance de recevoir en cadeau un perroquet, de visiter la cité avec un guide pour lequel le mot « Espagnol » n'avait aucune signification; nous sommes donc avant l'arrivée des Espagnols en Amérique.

Je n'ai pas voulu m'attarder devant l'autel des sacrifices, même si mon compagnon insistait pour me raconter les meilleures techniques. Heureusement, Maxulunté nous a rejoints et m'a entraîné vers le terrain de Pok-ta-Pok où je me trouve maintenant.

— Tu vois les anneaux ancrés dans les deux murs qui se font face, Premier Homme?

---

* Voir *César, ouvre-toi*, *Les voyages de Philibert Tanguay*, tome 3.

— Oui.

— Bon, le jeu est simple : il s'agit de faire passer une balle dans l'anneau de l'adversaire. L'équipe qui réussit le plus grand nombre de fois est la championne.

— Elle gagne quelque chose ?

— La vie éternelle.

Justement, on a failli en connaître le secret.* Mais on a disparu au moment où le Khan allait nous le révéler. C'est peut-être ma chance, cette fois-ci ?

— Tu veux dire quoi, au juste, Max ?

— Le gagnant est sacrifié.

— Pardon ?

— C'est un très grand honneur pour les joueurs.

À mon avis, le but du jeu, c'est de perdre.

— C'est un peu nono de zigouiller ses meilleurs joueurs, non ?

— Oh ! Nous n'en manquons jamais. La jungle en regorge.

Sur ce, il m'emprunte Velcro qu'il a besoin de consulter de toute urgence : un jaguar a été aperçu dans la cité, à l'aube, et il doit le pourchasser pour protéger les habitants de la cité. Son Nahual devrait lui indiquer le chemin.

---

* Voir *Le rire d'Améri Khan*, *Les voyages de Philibert Tanguay*, tome 1.

Jag ? Aïe ! Je ne peux pas lui dire que ce jaguar est son double sans condamner Velcro ! Mais je doute qu'il obtienne une quelconque information dans les yeux de mon chien. Enfin, croisons les doigts.

***

— Les Mayas ne sont pas des cannibales, Jeanne.
— Tu es certain ?
— Oui. Tu as mal ?
— Mes cordes sont trop serrées.
— Les miennes aussi.

35

CHAPITRE 4

Chasseurs ne sachant pas chasser

L'homme blé d'Inde, Philibert, a été invité à se joindre à l'expédition de chasse au jaguar. Il semble que Velcro ait été très utile au roi.

Phil suit Maxulunté qui avance dans la jungle avec le silence et la souplesse du jaguar, justement.

— Tu peux bien me raconter, Max. Après tout, c'est moi qui t'ai amené ton Nahual.

— Je ne suis pas censé révéler nos échanges.

« Échanges avec Velcro ? » pense Philibert, médusé.

— OK. Disons que je le fais disparaître...

— Il m'a annoncé que le jaguar se terrait près de la lagune des tortues qui flottent.

— Velcr... ton Nahual t'a dit ça ? demande Phil, qui ne croit pas une seconde que son chien ait pu exprimer une chose pareille.

— Il est fort, mon double, ajoute Maxulunté. Normal, c'est MON double.

« Velcro ne parle pas ! Il me raconte n'importe quoi, c'est certain », se dit Phil.

Maxulunté s'arrête soudain :

— Il est là, je le sens. Reste ici.

Il s'éloigne, abandonnant Philibert près d'un arbre tordu d'où s'envole un perroquet vert lime. Les bruits de la jungle s'amplifient, mouvements des insectes, chants des oiseaux, cris des singes. Immobile et retenant son souffle, Phil fouille le sol du regard à la recherche d'un danger, un serpent, une tarentule, un scorpion, ou pire, une vache. « Les vaches raffolent du maïs », pense-t-il. Ses sens en éveil captent un bruissement de feuilles, la fuite d'un rongeur, la chute d'un fruit. Soudain, dans un grand fracas, Roméo le mammouth se dresse devant Philibert :

— C'est quoi l'idée ? Hum ?

— Hé ! Je suis content de te voir, Roméo ! Je n'aime pas trop être tout seul ici.

— Je suis condamné à te suivre, on dirait ! J'étais en train de repousser une bande de chasseurs pas trop subtils sur la banquise quand je suis disparu. Au fait, ma défense me serait bien utile, quand est-ce que je la récupère ?

— Il faudrait qu'on trouve un moyen d'être certains de te rejoindre.

— Traîne-la toujours avec toi !

— C'est un peu encombrant. J'y arriverai, Roméo, promis.

— J'imagine que je dois te croire. Ceci étant dit, j'apparais dans cette jungle et sur qui je tombe ?

— Olivier et Jeanne, je gage ! Où sont-ils ?

— Pas la moindre idée. Non, je tombe sur un jaguar très gentleman qui me raconte qu'un homme-épi lui a parlé d'un mammouth du nom de Roméo. C'est moi, ça ! Je me suis douté que ce devait être toi. En passant, ce n'est pas très joli, ton déguisement.

— Hélas ! Ce n'est pas un déguisement !

— Désolé pour toi ! Donc, en jasant avec le jaguar, je vois débarquer un Maya peinturluré et enragé qui en veut à sa peau. Le jaguar a fui en disant que c'était sûrement à cause de toi ! Ce n'est pas gentil.

— Il faut que je t'explique. Ce jaguar est en réalité un être invisible qui agit comme double de roi et qui...

Philibert s'arrête net dans sa phrase, et ce, pour deux raisons. La première, Roméo se dématérialise déjà. La deuxième, il aperçoit une troupe qui marche en file indienne : Olivier et Jeanne en font partie, attachés et prisonniers.

Que faire ? Il veut voler à leur secours, mais s'il était fait prisonnier lui aussi ? Vaut-il mieux attendre le retour de Maxulunté ? Si c'étaient des ennemis du roi ? « Il ne faut pas les perdre de vue. Je vais les suivre et l'occasion se présentera peut-être de les aider à s'évader. »

Il ne fait que quelques pas avant que le grand félin lui barre la route :

— Tu vas où comme ça ?

— Oh ! Jag ! Laisse-moi passer ! Mon frère et ma demi-nièce sont prisonniers là-bas !

— Non.

— Je dois y aller !

Mais le jaguar se met à tourner autour de Phil en montrant ses crocs :

— Combien de temps t'avais-je donné ? Deux jours ? Maintenant que le roi m'a pris en chasse, par ta faute, notre entente ne tient plus. Tu vas gentiment lui révéler que son double, c'est moi.

— Tu n'es pas censé être invisible le jour ?

— Je suis redevenu simple jaguar, pour deux jours, selon ta suggestion.

— Jag, ce n'est pas moi qui ai entraîné Maxulunté ici. C'est Velcro, mais c'est compliqué.

— Je serai doublement content d'en faire mon lunch.

Le groupe de Jeanne et Olivier disparaît dans la jungle. Le jaguar barre toujours la route à Philibert qui souhaite que les effets de la potion cessent là, tout de suite. Mais bien sûr, cela n'arrive pas. La seule chose qu'il peut faire, c'est essayer de gagner un peu de temps.

— Une journée, Jag. Donne-moi encore une journée. Tu sais, le gros mammouth à qui tu as parlé est un ami du chien et il serait bien triste s'il lui arrivait malheur.

C'est alors que Maxulunté apparaît, dirigeant sa sarbacane vers le jaguar. Philibert ne peut le laisser éliminer son double !

— Eh ! Max ! crie-t-il en lui envoyant la main.

Le roi est déconcentré une seconde ; c'est juste le temps qu'il faut pour que le jaguar déguerpisse en lançant à Philibert :

— Merci ! Pour ça, tu as jusqu'à demain midi !

41

***

Sur le chemin du retour, Maxulunté est de très mauvaise humeur. Le Premier Homme lui a fait perdre sa proie. Il songe à faire cuire Philibert sur un feu de camp, à le laisser au soleil couvert de beurre, à le donner à gruger aux chèvres. Mais on ne traite pas ainsi le Premier Homme. Il marmonne, il boude, il ne veut pas adresser la parole à Phil, qui le suit en silence.

À leur entrée dans la cité, on annonce au roi que la chasse aux indigènes a été fructueuse et qu'il pourra présider ce soir une très belle séance de sacrifices.

Soucieux, Philibert entre dans sa demeure : Velcro n'y est plus.

Dehors, les prisonniers sont acheminés vers un pacage. Jeanne et Olivier passent devant la maison de Philibert. Mais Phil ne les voit pas, car il vient de s'allonger pour essayer de réfléchir à ses problèmes.

Velcro n'est jamais revenu. J'ai cherché autour, mais pas de traces de lui. J'ai écarté l'hypothèse qu'il ait été bouffé par le jaguar, puisque Jag m'a laissé jusqu'à demain. Maxulunté n'a pas pu venir le chercher à mon insu, car nous sommes arrivés ensemble. Donc, ou bien Velcro s'est sauvé, ou bien il est retourné chez nous, ce que je souhaite. Si c'est le cas, je n'aurai qu'à dire au roi que le jaguar est son nouveau Nahual, ni vu ni connu. Ça réglerait tout. Et je n'aurai qu'à attendre sagement que la potion ne fasse plus effet.

Mais comment être sûr que Velcro est bien rentré chez nous ? Il y a de la nourriture dans une assiette : normalement, Velcro ne laisse rien traîner qui se mange. Ce devrait être bon signe. S'il avait été enlevé par un habitant de la cité ? Non, impossible ; personne n'aurait osé voler le Nahual du roi.

Quelqu'un approche.

— Oui ?

— Le roi vous envoie à manger.

— Entrez.

J'ai vraiment faim.

— Philibert ! ?

— JEANNE ! Qu'est-ce que tu fais là ?

— Et toi ? Mais tu es un épi de maïs !

Je n'en reviens pas ! La pauvre me raconte tout, depuis la plage où elle et Olivier sont arrivés jusqu'à leur capture, comme des bêtes sauvages ! Le roi en a fait une esclave ! Ça ne se passera pas comme ça ! Je vais lui dire ma façon de penser à cette espèce de barbare de Maxulunté ! Mais avant, il faut libérer Olivier.

Nous n'avons pas fait trois pas que nous arrivons face à face avec Maxulunté.

— Max, ça ne va pas.

Il ne m'écoute pas :

— Elle n'est pas très jolie, ma nouvelle esclave, avec ses cheveux si pâles...

— Tu ne peux pas faire de cette fille une esclave. Elle...

Il me coupe :

— Je n'ai pas d'ordre à recevoir de quelqu'un qui m'a fait manquer une chasse, même pas le Premier Homme.

Il est très, très fâché et il m'en veut. Aïe ! C'est mal parti.

— Je vais t'expliquer. Vois-tu...

— Où est mon Nahual-chien ? Je dois le consulter pour trouver un joueur.

Oh ! Je crois que tu as ta chance, Phil. Tu n'es certain de rien, tu n'as pas le choix d'essayer.

— Le chien est retourné dans le monde invisible. Cette fille est ton nouveau Nahual.

Là, il m'écoute :

— Comment ?

— Tu sais qu'un Nahual peut changer de forme n'importe quand, évidemment.

— Non.

— Tu ne savais pas ? Mais qu'est-ce qu'on vous enseigne à l'école ?

Il me regarde en plissant les yeux. Est-ce qu'il commence à avoir des doutes sur moi ?

— Je veux bien te croire, mais je devrai consulter le grand prêtre à ce sujet.

Il prend le bras de Jeanne pour sortir. Elle me lance un regard suppliant. Comment lui expliquer quel est son rôle ? Allons-y.

— Elle répondra à toutes tes questions et te conseillera sur tous les sujets qui te préoccupent. Un Nahual-être-qui-est-ton-double-fille est un aussi bon conseiller qu'un Nahual-être-qui-est-ton-double-chien.

Elle semble avoir saisi, enfin j'espère. Le roi sort et l'emmène. Je suis tranquille, pour un petit bout de temps du moins. Mais il ne faut pas que Velcro rebondisse ici ! Maintenant, allons libérer Olivier.

Jeanne m'a dit qu'ils ont entassé les prisonniers dans un pacage situé au bord de la falaise. Ils ont fait des esclaves avec les femmes et ils ont gardé les hommes en troupeau.

Sauvages.

***

— Je te consulte, Nahual, pour trouver dans la capture d'aujourd'hui celui qui sera le meilleur joueur de Pok-ta-pok. Je veux un fier guerrier qui sache lancer la balle avec précision et courir avec la vitesse d'un jaguar.

«Dois-je lui parler d'Olivier? Devenir ce joueur sera-t-il sa planche de salut?»

— Euh... qu'as-tu l'intention de faire avec les prisonniers?

— Comme d'habitude, les peindre en bleu et leur arracher le cœur, vivants.

— Je sais lequel tu choisiras! Il est grand et frisé, et il a la peau pâle comme la mienne. Il répond au nom d'Olivier.

— Merci, Nahual, tu peux disposer.

***

Olivier est là, parmi une douzaine d'hommes bien gardés. Quelques gardiens brassent des pots de peinture bleue. J'imagine que c'est pour repeindre la clôture tout abîmée, mais c'est une drôle d'heure pour le faire car la nuit approche.

— Phil!

— Jeanne! Ouf! Tu as l'air toute contente!

— J'ai sauvé Olivier! Il ne sera pas sacrifié!

— Je savais qu'il écouterait son Nahual.

— Oui, et je n'ai même pas eu à convaincre Maxulunté. Olivier a été choisi comme joueur de Pok-ta-pok. C'est le fun, hein? C'est quoi ce jeu?

— Un jeu qu'il ne doit absolument pas gagner.

CHAPITRE 6
Maya Mania

Jeanne allait tenter de convaincre Maxulunté de ne pas choisir Olivier comme joueur, même si elle lui avait suggéré le contraire, quand Velcro a tout bonnement refait surface. Il est sorti de la jungle tout ébouriffé, blessé, marchant sur trois pattes. Philibert en a conclu que son chien avait essayé de le suivre quand il était parti à la chasse. Maxulunté est alors entré dans une colère royale.

— Tu m'as roulé, Premier Homme! Je ne peux pas avoir deux Nahual!

La chose a tout de suite été confirmée par le grand prêtre qui s'est empressé de mettre en doute la qualité de Premier Homme de Philibert. Jaloux de la confiance que Maxulunté lui accordait, le prêtre a vite compris qu'il avait la possibilité de rentrer dans les bonnes grâces de son souverain. Résultat? Philibert, Jeanne, Olivier et Velcro ont été enfermés dans une pièce du temple.

La situation tourne mal et Jeanne s'inquiète:

— Dis, Olivier, comment ça se fait que les effets de la potion durent si longtemps? Je pense qu'on a vraiment intérêt à disparaître, là.

— Je ne sais pas, Jeanne.

— Les agents de conservation? Ça pourrait être la cause, non?

— Tu sais que tu es brillant, mon petit frère? C'est tout à fait possible! Il y en a dans la sauce à tacos, c'est certain.

— Et dans les croustilles!

— Lesquelles? demande Jeanne.

— Celles que tu m'avais données en revenant du Mexique...

— Hein? Ça fait deux ans!

Mais voilà que surgit Maxulunté:

— J'ai réfléchi et j'ai décidé que vous serez tous les deux les joueurs adverses du Pok-ta-pok.

— Non ! s'écrie Philibert.

— J'ai dit ! Le perdant aura la vie sauve. La fille restera esclave. Le chien sera grillé sur la broche.

Le roi s'éloigne.

Les deux frères se regardent et pensent la même chose sans se le dire : gagner à tout prix pour sauver l'autre.

***

Commence alors une partie de balle digne d'un match professionnel de la ligue américaine de basketball.

Philibert a des ailes : il court avec agilité même s'il est couvert de grains de maïs. Olivier n'a jamais si bien visé : à chaque lancer, la balle traverse l'anneau fixé au mur. Mus par une énergie puisée dans l'affection que les deux frères ont l'un pour l'autre, ils accumulent les points à une vitesse folle.

Il fait terriblement chaud, même en plein crépuscule. La sueur coule à grosses gouttes sur le front et dans le cou des joueurs. La partie est enlevante et Maxulunté apprécie la joute avec un sourire malin.

Les prisonniers capturés le matin, arborant un cœur peint en bleu sur la poitrine, suivent le mouvement de la balle d'un mur à l'autre. Jeanne tient Velcro bien serré dans ses bras.

Au moment où Olivier culbute et tombe, faisant automatiquement de Philibert le gagnant, au moment même où un cuisinier vient arracher Velcro des mains de Jeanne, au moment où le sort en est jeté, Philibert entonne la chanson de Maya Mania dont il connaît le refrain par cœur.

Le silence se fait. Que chante Phil ?

Maxulunté s'approche de Philibert :

— Pas mal ! Mais il faudra que tu m'expliques ce que signifie « planche de surf ».

— Demain, pas avant, répond Phil pour gagner encore du temps.

— D'accord. Je t'accorde une dernière nuit. Félicitations pour la partie de Pok-ta-pok ! Un régal.

— Je demande la même faveur pour mon chien.

— Accordé : je veux que tu y goûtes avant de mourir.

Le roi se retire en annonçant que la fête et les sacrifices sont remis au lendemain.

***

Le miracle attendu n'a pas eu lieu : le lendemain matin, ils ne sont pas dans leurs lits, mais toujours dans la cité maya. Philibert a dessiné au roi un modèle de planche de surf en lui expliquant le mode d'emploi.

Il s'apprête à monter les marches du temple vers la pierre sacrificielle quand il entend :

— Qu'est-ce que tu me donnes pour que je te sorte de là ?

Le jaguar vient de faire son apparition, pour la plus grande frayeur de tous. Il s'approche du roi :

— Je suis ton Nahual.

Le roi, échaudé, est incrédule :

— Prouve-le-moi.

Le jaguar disparaît sous leurs yeux et réapparaît tout près de Philibert :

— Je n'ai pas oublié que tu m'as sauvé la vie. Alors je vais m'occuper de la tienne.

— Comment ?

C'est à ce moment précis que lui, Jeanne, Olivier et Velcro commencent à se dématérialiser.

— Occupe-toi de celle des autres prisonniers, Jag ! Sauve-les ! lance Phil.

— D'accord. Mais c'est la première et la dernière fois que je fais ça.

***

Philibert a repris sa forme humaine. Velcro a couru vers son bol. Olivier s'est jeté dans la douche. Et Jeanne s'est mise à la recherche des paroles françaises de la chanson de Maya Mania.

— C'est vraiment une chanson de surf, Phil. Tu viens d'introduire ce sport chez les Mayas !

— J'espère que ça leur changera les idées et qu'ils s'adonneront au surf plutôt qu'aux séances de sacrifices. J'en avais même glissé un mot à Max.

— L'histoire dit que ça s'est arrêté, cette folie meutrière.

— Ouais.

— Dis donc, c'était quoi l'élément absurde, dans ce voyage ?

— Je trouve que moi, en homme blé d'Inde, c'est déjà pas mal absurde.

La mère de Philibert arrive en courant :

— Donne, Velcro, donne ! C'est le dernier sac que j'achète, garanti !

Le chien a encore volé un sac de pop-corn tout neuf. Philibert l'attrape, et le sac se déchire encore une fois. Il se met à quatre pattes pour ramasser le dégât, aidé cette fois par Olivier et Jeanne.

Mais Philibert n'en mange pas une miette.

Poney Express

CHAPITRE 1
Un remède de cheval

Ma mère est partie sur le lait de jument. Une vraie folie. Après les oméga-3, c'est son nouveau produit miracle. Crème contre le vieillissement, shampoing contre la chute des cheveux, baume pour les lèvres, le lait de jument a fait son entrée dans toutes les sphères de la vie chez nous.

C'est comme ça que, à cause de rougeurs d'origine allergique, je me suis retrouvé immergé dans un bain moussant à base dudit lait, augmenté de flocons d'avoine qui font merveille pour les démangeaisons.

Pendant que je trempais tranquillement, Olivier est entré en trombe dans la salle de bain :

— Philibert, je sais où nous ferons notre prochain voyage !

— T'es pas gêné ! C'est privé, ici !

— Je ne te vois pas, tu es derrière le rideau de douche.

— Pas grave.

— OK, je sors.

Bien sûr, mon frère avait piqué ma curiosité :

— Où, tu disais ?

Ça faisait déjà quelques semaines qu'on était sagement restés chez nous. Après notre virée en pays maya, nous avons d'abord eu une période d'examens. Puis, j'ai attrapé un rhume qui a dégénéré en otite pour laquelle j'ai dû prendre des antibiotiques. J'ai ensuite eu une crise d'urticaire après avoir porté un chandail de laine tricoté par ma tante Aline. La laine était tellement rude que j'avais l'impression d'avoir des manches en papier sablé.

C'est ainsi que j'ai eu droit à la crème apaisante au lait de jument et à ce bain où je devais rester plongé jusqu'aux oreilles pendant au moins trente minutes.

— On s'en va à Paris !

Ça me tentait plus ou moins :

— On est déjà allés à Versailles.

— Oui, mais cette fois-ci, c'est à l'Exposition universelle de 1889 qu'on ira! C'est à cette occasion qu'on a construit la tour Eiffel. Paris en calèche, ça me tente.

— Les Français ne faisaient pas de sacrifices, n'est-ce pas? On a donné, au Mexique...

— Meuh non.

— Je devrais peut-être attendre d'être guéri?

— C'est juste des rougeurs. Comme les parents sont partis au théâtre, on a tout notre temps.

C'était tentant. Paris, Notre-Dame, les foules. Après la jungle, ce serait parfait.

— Dans quel état trouverons-nous la ville? Après tout, nous allons dans l'absurde.

— La surprise, Phil, c'est la beauté de la chose.

Pendant qu'Olivier allait préparer la potion, je suis sorti du bain. Enfin, pas tout de suite, parce qu'en mettant le pied hors de la baignoire, j'ai glissé et je suis tombé. Ayoye! En plus de l'urticaire, j'allais avoir une mégabosse dans le front. J'ai même avalé une tasse de mon bain moussant au lait de jument; ça goûtait juste le savon, bien entendu.

Puis je suis descendu, frais vêtu de mon beau jeans neuf: ça fera bizarre, en 1889, c'est sûr, mais comme il y aura des gens venant de partout sur la planète dans leurs costumes nationaux, ça passera.

Je regarde mon frère lancer une poignée de riz dans sa mixture, pour le RIS :

— Et pour le PA, on met quoi ?

— Tu as une idée ?

— Pablum ? Pâtes ? Pâté ? Je ne sais pas. Mais j'ajouterais de la crème fouettée, ça fait très français et ce sera bon au goût.

— Bonne idée.

— Des céréales aussi ! Il y a plein de fer là-dedans, comme dans la tour Eiffel.

— Qu'est-ce que je ferais sans toi, Phil ?

On mélange le tout en jetant dans la mixture des cerises de France écrasées et on s'enfile quelques gorgées du breuvage pas très appétissant, à vrai dire.

— Et si on se retrouvait avec des Français qui n'ont pas d'accent ?

Voilà la nounounerie que je lance en attendant de partir.

— Ou que la tour Eiffel est construite en bâtons d'allumette ? ajoute Olivier en pouffant, puis pâlissant dangereusement. C'est drôle, j'ai mal au cœur.

Olivier vérifie la date sur la crème : passée depuis longtemps.

— Je me disais aussi que les grumeaux, c'était pas normal, dis-je en commençant à me dématérialiser.

Je vois Olivier vomir dans l'évier et je disparais, pas mal inquiet : me suivra-t-il ?

***

WELCOME TO PARIS.

Première bizarrerie : la pancarte est en anglais. Suis-je dans la France du futur, complètement anglicisée ?

Deuxième bizarrerie : je suis sur une route de terre battue bordée de champs. Pas de tour Eiffel, de rues, d'immeubles. Suis-je dans un Paris dévasté ? Détruit ? Rasé ?

Ah ! Quelque chose approche au loin. Je distingue mal. Ça avance lentement.

Clop, clop, clop. Je vois des chevaux tirant une voiture. Je suis peut-être dans la campagne française, aux limites de la ville de Paris, avant l'apparition des automobiles ? À moins qu'il s'agisse d'un amateur de tours de calèche ?

Les pas des chevaux soulèvent beaucoup de poussière. C'est difficile de distinguer quoi que ce soit. Ils arrivent bientôt à ma hauteur. Est-ce que je devrais leur faire signe d'arrêter ? C'est une... diligence ! Oh ! Elle s'arrête.

— Hé, mon gars ! T'as quelque chose à faire ? me crie le cocher.

— Euh... non...

— Monte ! J'ai besoin de quelqu'un pour conduire, ça fait deux jours qu'on roule et je n'ai presque pas dormi.

— Conduire ? Je ne sais pas comment !

— Hein ? T'as pourtant l'air d'avoir quoi, dix, douze ans ? Tes parents ne t'ont pas encore appris ? Monte.

Je ne vais pas lui expliquer que ça prend seize ans minimum dans mon monde pour avoir un permis de conduire et encore, seulement d'apprenti. Et je ne resterai pas planté ici tout seul en plein milieu de nulle part. Tandis qu'une passagère sort la tête pour demander quand on repart, je saute sur le banc.

— On va où, monsieur ?

— Mais à Paris ! Pour commencer.

— Paris, France ?

Il éclate de rire et me tape sur l'épaule, un peu trop fort à mon goût :

— T'as reçu un coup de sabot sur la tête ? Paris, MISSOURI !

Je suis aux États-Unis ! Cool !

— Vous avez dit « pour commencer » ?

— Oui, mon gars. Je débarque mes clients et après, je vais à Saint-Louis.

— Saint-Louis... Missouri ?

— Dis donc, ça doit faire longtemps que tu marches et le soleil t'a tapé sur la tête. Mais oui, Saint-Louis, Missouri ! Prends ma gourde, je pense que tu as besoin de t'hydrater un peu le cerveau.

Je pense que j'aurais encore plus besoin de mon frère.

CHAPITRE 2
Hello Dolly !

Après l'arrêt à Paris, Missouri, pour descendre les passagers et prendre une cargaison de caisses à livrer, Kit, le conducteur, a donné à Philibert un cours intensif de deux minutes sur la conduite de chevaux : il lui a mis les rênes dans les mains en lui expliquant trois gestes : avance, à droite, à gauche.

— Et comment on arrête ? a demandé Philibert avec angoisse.

— Tu tires et tu cries « woh ! », a répondu l'autre, qui s'est mis à ronfler cinq secondes plus tard.

Heureusement pour Phil, les chevaux sont calmes. Et puis Kit lui a dit qu'ils connaissaient le chemin par cœur.

En route, la voiture a croisé une autre diligence, quelques cavaliers solitaires dont un au grand galop. «Ouf! a pensé Philibert, jamais je ne pourrais monter comme lui! Il va aussi vite que mon père sur l'autoroute.» En fait, Philibert trouve que son père ne va pas assez vite sur les voies rapides; mais à cheval, sans ceinture de sécurité et sans sac gonflable, la perspective est soudain un peu différente.

Jusqu'à la fin du jour, Phil a roulé dans des vallons, des bouts de routes pleines de roches et des pistes étroites. Au crépuscule, les chevaux se sont arrêtés d'eux-mêmes dans une clairière. Kit s'est enfin réveillé; il a repris les rênes, et ce fut au tour de Philibert de se reposer, ballotté par la voiture, enroulé dans une couverture de laine grossière. «Je vais encore avoir de l'urticaire» est la dernière pensée qui a traversé l'esprit de Philibert avant qu'il s'endorme.

C'est à Saint-Louis qu'il s'est réveillé. Philibert est ravi: en 1848, la ville est le point de départ de nombreux convois vers l'Ouest et elle est bourdonnante d'activités.

Kit arrête les chevaux devant le magasin Lamoureux & Blanchard. Un attroupement y parle d'un exploit hors du commun : un jeune homme du nom de François-Xavier Aubry vient de parcourir 1 300 kilomètres en cinq jours et demi, ne prenant que six repas, épuisant six chevaux, et marchant même trente-cinq kilomètres.

En déchargeant la voiture, Philibert remarque un cheval attaché à un poteau. L'air piteux de la monture le désole. Il dépose son fardeau et va lui caresser la tête.

— Tu es triste ? Est-ce qu'un cheval peut être triste comme un humain ?

— Qu'est-ce que tu penses ! Bien oui !

Philibert se retourne pour vérifier que personne n'est près de lui.

— C'est toi qui as parlé ?

— Oui, c'est moi. Et je ne suis pas un cheval, je suis une jument. Mon nom est Dolly.

***

« Il faut que je refasse exactement la même potion », se dit Olivier en ajoutant dans son verre un peu de cette crème qui l'a fait vomir. S'il veut rejoindre Philibert, il n'a pas le choix. Il se bouche le nez, ferme les yeux, avale le liquide épais et, malheureusement, ne réussit pas à contrôler un haut-le-cœur qui lui fait rendre sa gorgée dans le lavabo.

Philibert n'est pas trop surpris de se retrouver en compagnie d'un cheval qui lui parle : il commence à avoir l'habitude de ce genre d'événement impossible ; après tout, il voyage dans l'absurde. Mais ce qui l'est encore plus pour lui, c'est que la jument soit en pleine déprime après ce qu'elle considère comme la trahison pure et simple de son maître, François-Xavier Aubry.

— Tu comprends, j'ai commencé la course avec lui, j'ai donné toute ma force et ma vitesse, et il m'a laissée après une journée pour sauter sur un autre cheval !

— Mais tu devais être complètement épuisée, Dolly !

— J'aurais dû être avec lui à l'arrivée ! J'ai tout traversé avec lui, des tempêtes, des mers de boue, des embuscades de voleurs, des attaques de Cheyennes ! Combien de fois je l'ai sauvé de situations dans lesquelles il aurait laissé sa peau, sans ma présence d'esprit et ma vitesse ! Tout ça pourquoi ? Pour qu'il termine son exploit avec un cheval dont je ne sais même pas le nom. C'est injuste !

— Ouais, c'est comme quand mon équipe de basket a gagné la médaille d'argent aux championnats régionaux : cette fois-là, j'étais malade chez nous. Et je suis un des meilleurs compteurs. C'était nul.

— Basket ?

— Oh, c'est un jeu : il faut faire entrer un ballon dans un panier percé fixé en hauteur.

— Ça se jouerait à cheval ?

— Je ne sais pas. Jamais entendu parler.

— On devrait accomplir un exploit ensemble, suggère alors le cheval.

— Comme quoi ?

C'est à ce moment de la conversation qu'un gros bonhomme s'approche de Dolly et défait son lien :

— On s'en va à Paris, Dolly. Lettre urgente.

Le cheval sautille et se cabre. Le bonhomme recule. Dolly se penche vers Phil :

— Il est trop lourd ! Ce sera pénible ! Viens avec moi !

— Mais je ne suis jamais monté à cheval !

— Tu n'auras qu'à te laisser faire.

Kit s'approche :

— Du calme, Dolly ! Tu es la plus rapide, ma belle. Une lettre au Gouverneur, ça n'attend pas.

— Je... peux y aller, moi ? demande timidement Philibert.

— Toi ? Sais-tu au moins monter à cheval ?

— O... ui.

La jument donne un petit coup de tête à Philibert, qui se penche vers elle. Kit éclate de rire :

— Tu lui demandes son avis, peut-être ? Décidément, ça ne tourne pas rond... Enfin, elle a l'air de t'aimer. D'accord. Avec Dolly, tu pourrais faire le voyage en une vingtaine d'heures. Tu en galopes une, tu la laisses se reposer et boire deux et tu repars. Facile. Un petit deux cents kilomètres et quelques. Bah ! S'il « parle » avec les chevaux, il trouvera le temps moins long, ajoute-t-il pour les badauds qui se mettent à rire avec lui.

Dolly chuchote :

— Vingt heures ? On va le faire en sept ! Ce sera notre exploit.

Philibert monte sur le dos de la jument avec un brin d'appréhension, bien sûr. Mais l'idée de traverser les plaines avec un cheval comme guide touristique est séduisante. Kit lui confie la lettre à remettre au Gouverneur, des vivres, de l'eau, une couverture.

— Bonne route, fiston ! lui souhaite Kit.

Dolly se met au pas.

— Tu y vas mollo, hein, lui murmure Philibert.

— Tiens-toi après le pommeau ! ordonne la jument qui part au grand galop.

***

Au même moment, la troisième tentative d'Olivier réussit : il avale sa potion. Il se dématérialise rapidement et se retrouve à l'endroit où il croit trouver Philibert : Paris, France.

Dolly est déchaînée ! J'ai déjà mal aux fesses ! Depuis qu'on est partis, je me cramponne à la selle et je ferme les yeux la moitié du temps. Je ne comprends pas comment ça se fait que je ne sois pas tombé à terre. À quelle vitesse va Dolly ? Vite en titi ! On dirait à 300 kilomètres à l'heure.

Inutile de lui parler ; d'abord il faut crier très fort. Je lui ai demandé quand on s'arrêterait : elle m'a répondu « à destination ». C'est impossible ! Pas besoin d'être expert en chevaux pour imaginer ça. Elle est complètement folle, cette jument.

C'est quand même grisant d'aller au grand galop, une fois qu'on apprend à suivre le mouvement. Je n'ai pas eu le choix, disons. Dolly a un pied très sûr, une vraie traction intégrale! Une quatre roues motrices tout-terrain. Même pas besoin d'essence. En fait, à quoi elle carbure, Dolly?

— OHHHHHHHHHHH!

Je n'ai rien vu venir! Elle a freiné sec! Je viens de rouler dans la poussière. Est-ce que j'ai quelque chose de cassé? Non, je ne pense pas. Mais c'est qui, eux? Dolly est entourée de deux hommes en uniforme. L'un d'eux lui met un tube dans la bouche. Approchons:

— Qu'est-ce qui se passe?

— Police de la route. Savez-vous à quelle vitesse vous alliez?

— Non, euh, vite, hein?

— Soixante kilomètres à l'heure! La limite est de trente.

— Ici? En plein champ?

— Un cheval à soixante, c'est de la conduite dangereuse. Si un enfant était passé par ici, hum?

— Je ne savais pas, je suis désolé.

L'autre policier s'exclame, tube dans les mains:

— Son taux d'avoine est trop élevé! Il dépasse largement le ,08 permis: 1,4! Ton compte est bon, ma belle jument. La conduite avec facultés décuplées, ça va chercher dans les six mois.

— Décuplées?

— Ne me dis pas que tu ne sais pas qu'un cheval ne doit pas dépasser sa dose d'avoine quotidienne sous peine de se changer en bombe de vitesse?

— Non, je ne savais pas.

— Tu sors d'où?

— Ce serait un peu long à expliquer. Vous faites quoi? Vous nous donnez une contravention?

Le premier policier répond:

— On va la remorquer jusqu'à la fourrière à chevaux.

— C'est complètement absurde! dis-je. On a un message à livrer et...

— Hé là, mon gars! Pas d'excuses. C'est la loi dans le Missouri, dit le deuxième policier. Depuis qu'on sort des routes ces fous à quatre pattes, il y a beaucoup moins d'accidents.

— Ouais, renchérit le premier policier. D'habitude, six mois à la fourrière, ça calme leurs ardeurs.

— Mais moi? Vous n'allez pas me laisser tout seul ici?

— On t'emmène au poste. Là, tu pourras emprunter un cheval discipliné et livrer ton message. LENTEMENT.

Je prends place sur le dos de Dolly, attachée au cheval du premier policier. Il faut que je lui parle sans que ça paraisse. Je m'allonge carrément dessus :

— Tu m'avais caché qu'il y avait des limites de vitesse pour les chevaux.

Dolly avance, tête basse :

— Ils n'ont rien de mieux à faire qu'arrêter une pauvre jument qui ne fait rien de mal... Il y assez de bandits et de voleurs à attraper, il me semble.

— Dolly, ne détourne pas la conversation.

— Je ne les croise jamais. Il a fallu qu'ils soient là aujourd'hui.

— Dolly...

— Bon, OK, excuse-moi.

***

La tour Eiffel, toute neuve, se dresse fièrement dans le ciel de Paris. Moi, Olivier, je me promène sur le site de l'Exposition universelle de 1889, et je suis impressionné par les installations. Cependant, il y a un hic : pas une âme aux alentours. Aucun visiteur, pas un employé, personne. Seul un chat dans un coin en train de dévorer un bout de baguette de pain ; un chat français, bien sûr. Tout est silencieux. Mystère.

Un gamin passe à toute vitesse.

— Hé! Là-bas! Où est tout le monde?

Ralentissant à peine, le garçon répond:

— À l'hippodrome de Longchamp. Pour le Grand Prix de Paris!

Je le rejoins et je cours à ses côtés:

— Paris vidée de ses habitants pour une course? C'est absurde.

— Oui, mais c'est VASISTAS qui court. Un des chevaux les plus rapides au monde.

Philibert serait-il apparu à l'hippodrome? Il a trempé longtemps dans le lait de jument... Je me demande si ça peut... Le fait est qu'il n'y a personne dans la ville. Je vais suivre ce garçon.

***

La fourrière municipale est un enclos de bonnes dimensions où plusieurs chevaux ruent, hennissent, se cabrent, se mordent même. Je dois intervenir:

— Dolly va se faire massacrer là-dedans!

Le premier policier se tourne vers moi:

— Dans cet enclos-là, ce sont tous des récidivistes! Des têtes brûlées. Ah! Les jeunes chevaux d'aujourd'hui, tous des délinquants! Comme c'est sa première infraction, elle ira peut-être dans un enclos plus calme. Ça dépend du juge.

Il attache Dolly à un poteau et s'éloigne. Je pourrais profiter du moment pour m'enfuir avec elle. Oui, c'est ce que je vais faire !

Mais le deuxième policier surgit, avec un cheval :

— Tiens, voilà Minou. Tu le laisseras au poste de Paris et tu rentreras en diligence.

— Et Dolly ?

— Elle subira son procès dans une heure.

À quelques mètres, quelqu'un appelle le deuxième policier ; voilà peut-être ma chance ? Non, avant de partir, il menotte Dolly au poteau par une patte.

— Minou ! dit Dolly. Pauvre Philibert, tu en as pour une semaine pour te rendre à Paris ! Il se couche partout et dort des heures. En plus, il mord.

Je n'hésite pas une seconde : je reste. Et je défendrai Dolly comme un avocat vedette ! Enfin, j'essaierai.

CHAPITRE 4

Rien que la vérité, je le jure!

Philibert n'en croit pas ses yeux : devant lui s'alignent six chevaux arrêtés pour excès de vitesse.

Une table a été sortie du poste de police et est installée devant les contrevenants. Les policiers redressent le torse et se taisent tandis qu'un homme trapu aux cheveux blancs poussiéreux s'approche.

— Pas lui... murmure Dolly. C'est le juge le plus sévère de la région.

Il donne un coup de maillet sur la table en tonnant :
— Amenez le premier accusé !

— Oui, monsieur le Juge, répond le premier policier en faisant difficilement avancer un étalon noir récalcitrant. Un jeune homme l'accompagne.

Le juge regarde le dossier devant lui :

— C'est la troisième fois qu'on t'arrête pour excès de vitesse, Étincelle. Tu es incorrigible. Qu'avez-vous à dire pour sa défense ?

Le jeune homme répond :

— Il est encore jeune et mineur.

— Je comprends. Mais il a besoin d'une leçon : deux mois dans un carrousel de cirque ambulant ! Suivant !

Une jument grise est amenée par une jeune fille.

— Lolita ! Encore toi ! Excès de vitesse dans une zone scolaire aujourd'hui ! Impardonnable. Trois mois de camp de bûcherons ! On verra si tu es capable de courir en tirant un arbre !

— Mais... proteste la jeune fille.

— Pas de mais. Suivant !

Philibert chuchote à Dolly :

— Tu les connais ?

— Lolita est devenue un danger sur pattes depuis qu'elle a fait partie d'un gang de plaine. Dis, Phil, tu vas me sortir de cette situation, hein ? Je ne veux pas faire de prison !

— C'est complètement ridicule !

— Je ne veux pas avoir de casier judiciaire! Après, il me sera interdit de sortir du Missouri et je ne pourrai plus suivre François-Xavier jusqu'à Santa Fe! Aussi bien finir à la boucherie, se lamente Dolly, au bord des larmes.

Philibert tente de la consoler:

— J'ai eu un A dans mon dernier oral, ça devrait aider.

Bien sûr, Philibert omet de lui dire que son exposé oral portait sur le stegosaurus, ce qui n'a aucun rapport.

L'étalon Tornade est condamné à la prison sans possibilité de sortie avant six mois. Belle est libérée pour bonne conduite en captivité et détale aussitôt. Flash donne un coup de pied au policier et son procès est reporté, car on ajoutera une accusation d'assaut à la prochaine audience. Vient enfin le tour de Dolly.

— Alors, mademoiselle, on a pris trop d'avoine, hum?

***

Que ce soit à pied, à cheval ou en voiture, une foule compacte se dirige vers l'hippodrome. Des gens portant un chapeau haut-de-forme, d'autres un simple béret, d'autres tête nue, des employés de café, des enfants tirés par leur mère se pressent sur la route.

Les commerces et les écoles sont fermés, les parcs sont vides. Olivier, entraîné par la vague humaine, fouille du regard chaque coin de rue, chaque façade, chaque jardin qu'il croise. Mais pas de trace de Philibert.

***

Philibert se lance à la défense de Dolly en faisant de grands gestes :

— Monsieur le Juge ! Bien sûr, Dolly a enfreint la loi : mais ce n'est pas sa faute !

Le Juge ne le regarde même pas :

— La loi, c'est la loi. Soixante dans une zone de trente avec facultés décuplées à cause d'une trop grande consommation d'avoine, c'est grave.

Se souvenant des paroles du premier policier, Phil poursuit :

— C'est une première offense, votre Honneur.

— Ça commence mal ! La prochaine fois, ce sera quoi ? Soixante-dix en pleine nuit ? Avez-vous pensé aux risques de face à face ?

— Oui, votre Honneur. Mais il y a des circonstances atténuantes !

— Je vous écoute, dit le juge en croisant les bras et en bâillant déjà d'ennui.

Philibert prend une grande respiration et se lance :

— L'enfance de Dolly n'a pas été facile, votre Honneur ! Vous avez devant vous une jument qui a été arrachée à sa mère dès sa naissance ! La pauvre petite pouliche a été nourrie à droite et à gauche par des juments totalement indifférentes ! Comment est-il possible dans ces circonstances de développer une bonne estime personnelle ? Je vous le demande.

Le juge ne répond pas à la question. Philibert sent que c'est mal parti. Il continue :

— Ce n'est pas tout : Dolly a été vendue à cinq propriétaires consécutifs qui ne voyaient en elle que l'occasion de faire du profit ! Oui, votre Honneur, Dolly est une victime d'une société qui ne pense qu'à s'enrichir et qui a oublié les vraies valeurs que sont l'affection et l'amour. Dans quel monde vivons-nous pour traiter ainsi des chevaux sans défense qui n'ont pas demandé à naître ?

Philibert prend une pause. Le juge reste silencieux, mais son visage est moins dur. Philibert se dit qu'il est peut-être en train de l'attendrir. Il jette un coup d'œil à Dolly qui le regarde avec des yeux ronds comme des soucoupes. Il enchaîne :

— Oui, monsieur le Juge, Dolly a fait un abus d'avoine ! Mais quand, comme elle, on a été affamé toute sa vie, cela laisse des traces. Dolly n'avait que la peau et les os lorsque je l'ai vue la première fois. Si je ne m'étais pas enfui avec elle, si je ne l'avais pas nourrie pratiquement au biberon tellement elle était faible, Dolly ne serait plus qu'un tas d'os, qu'un tas de poussière soulevé par le vent de la plaine.

Une larme apparaît dans l'œil du juge. Philibert caresse le cou de Dolly:

— Regardez-la, votre Honneur! N'est-elle pas jolie? Vivante? Jeune? N'a-t-elle pas droit à une deuxième chance? Que dis-je? à une première chance puisqu'elle n'en a jamais eu? Je vous laisse en juger.

Philibert enfouit son visage dans la crinière de la jument, épuisé. Dolly se retient très fort pour ne pas éclater de rire et se met à lécher la sueur qui coule du front de Phil jusque dans son cou. Les chevaux de la fourrière sont massés près de la clôture, en silence. Le juge se lève, solennel:

— C'est bon. Je passe l'éponge pour cette fois-ci, car il n'y a pas eu d'accident impliquant d'autres chevaux ou personnes. Cependant, elle n'a pas droit à une seule faute pour les trois prochains mois. Jeune homme, à la moindre récidive, je vous tiendrai responsable. Allez, partez avant que je change d'idée.

Les chevaux de la fourrière hennissent et bondissent, de joie, on dirait. Philibert enfourche Dolly et s'éloigne au pas en les saluant de la main.

Une fois à bonne distance du poste, Dolly ouvre la bouche :

— Je suis restée avec ma mère trois ans et mon seul propriétaire a été François. Il m'a toujours bien nourrie, tu sauras. Phil, où as-tu appris à mentir comme ça ? Ce n'est pas joli, mais ça m'a servi. Merci.

— S'il fallait que ma mère sache ça... Est-ce qu'on n'a pas une lettre à livrer, nous ?

C'est en trottant gaiement que Philibert et Dolly disparaissent.

87

Depuis qu'Olivier et moi voyageons grâce à la potion, j'ai eu bien des surprises. Mais là, c'est la première fois qu'une telle chose arrive, je veux dire, être transporté dans deux univers différents lors du même voyage!

D'une piste en sable au cœur des États-Unis, nous nous retrouvons dans une écurie bondée de monde et de chevaux.

Nous sommes apparus dans un box. Dolly, habituée aux grands espaces, se trouve un peu à l'étroit. Mais elle a un abreuvoir, une montagne de foin et, surtout, il y a de l'avoine dans la mangeoire. Est-il utile de dire qu'elle s'est jetée dessus ? Pendant qu'elle s'empiffrait, je suis allé aux informations.

J'ai appris ceci : nous voici en 1889, à Paris. Enfin presque : nous sommes tombés dans un hippodrome, en banlieue. C'est facile à reconnaître : des calendriers des courses traînent un peu partout.

J'ai longé les boxes et j'y ai vu des chevaux que je qualifierais de magnifiques ! Désolé pour Dolly, je l'aime beaucoup, mais elle n'est pas de taille. Littéralement d'abord, car elle est bien plus petite. Et puis ils sont élancés, alors qu'elle a une belle bedaine. Racés, luisants, musclés, nerveux, on dirait des bombes de puissance. Ça doit décoller, ça, dans un départ, oh oui.

Ils sont dorlotés, bichonnés, brossés, peignés, massés, ouf ! je me sens soudainement coupable de ne pas m'occuper plus de mon chien, Velcro... C'est vrai, un petit coup de brosse de temps en temps ne lui ferait pas de mal. Mais il a la chance de dormir avec moi, ce qui est impossible pour n'importe quel cheval ! Moi aussi, je suis chanceux de l'avoir pour me réchauffer les pieds... Bon, en rentrant chez moi, je promets de brosser Velcro.

À l'extrémité de l'écurie, il y a un box bien gardé et fermé. On ne peut pas voir le cheval à l'intérieur. VASIS-TAS, c'est son nom.

Des jockeys passent en costume de course; ils sont petits, de ma hauteur à peu près. Plus légers, disons, mais ils ont fini de grandir, moi, c'est ma graisse de bébé qui colle.

— À qui appartient ce cheval? crie une voix devant le box de Dolly.

Je me précipite:

— À moi, pourquoi?

— Il n'est pas inscrit à la course.

— Non, je...

— S'il a un box ici, c'est qu'il a été sélectionné. Je me demande bien par qui, d'ailleurs, car si je me fie à sa taille, il me semble entrer dans la catégorie poney et non cheval. Son nom?

— Dolly.

— Âge?

Oups. Dolly donne un coup de pied dans la porte. Deux. Trois, quatre. Elle arrête.

— Quatre ans.

— Propriétaire?

— Aubry, François-Xavier.

— De quelle écurie?

— Euh... les écuries Saint-Louis.

— Je n'ai aucun dossier sur ce cheval, ce n'est pas normal. Depuis quand ajoute-t-on un cheval à la dernière minute sans me le faire savoir... Ah! là là, il faut tout faire soi-même. Ses parents?

Quels noms donner?

— Sa mère s'appelle Lolita, son père Tornade.

Dolly a l'air de bien s'amuser.

— Bon. Tu es son jockey?

— Moi?

— Je ne vois personne d'autre.

— Ouais. Tanguay, Philibert.

L'homme regarde Dolly:

— Personne ne va parier là-dessus. Bon, ça prend aussi des perdants dans une course.

Course? Dolly? Moi?

***

« Si Philibert est apparu à Paris, il a dû lui aussi être entraîné par la foule. À moins que mon frère ait décidé de rester dans la ville désertée. Dans tous les cas, je ne le retrouverai pas, on dirait. Les estrades de l'hippodrome sont pleines à craquer; comment le repérer? Il y a trop de monde.

Puisque je me suis rendu ici, je vais docilement assister à la course et attendre de disparaître. Que faire d'autre? Tiens, une pièce de un franc par terre. »

— Tu ne veux pas vraiment qu'on fasse cette course, hein, Dolly?

— ...

— Réponds-moi.

— Pourquoi pas?

— Tu les as vus? Ce sont des colosses! Tu es peut-être très rapide...

— La plus rapide.

— ... la plus rapide du Missouri, mais excuse-moi, ici, tu ne leur arrives pas à la cheville, certain.

Ce n'est pas gentil ce que je viens de dire. Je l'ai piquée dans son orgueil.

93

— Je te signale que ce n'est pas moi qui nous ai emmenés ici.

— C'est vrai. Comment ça se fait, d'ailleurs? Moi, je comprends, j'ai bu la potion d'Olivier, mais toi?

Ma sueur! Elle a léché ma sueur!

— Je te le dis tout de suite, Dolly: c'est non.

CHAPITRE 6
Poney Express

95

Dolly piaffe d'impatience : elle a hâte de commencer la course. Gonflée à bloc grâce à l'avoine à volonté, elle a réussi à convaincre Philibert avec un argument de poids :

— Je ne peux plus faire de vitesse chez moi. Or, ici, je ne suis pas chez moi. En plus, si je suis bien tes explications pas trop claires, je devrais sous peu rentrer au Missouri, on ne sait quand, ce sera une surprise. Laisse-moi tenter ma chance !

Philibert a peur. Il doit mettre sur le dos de Dolly une espèce de selle qui a l'air d'un petit tapis de cuir, et pas de pommeau pour se tenir. On lui a fourni un costume, des gants. Une cravache même. Dolly est partie à rire :

— Tu n'auras pas besoin de ça avec moi !

Les paris se sont ouverts et, bien sûr, personne ne mise sur Dolly.

Les chevaux sont amenés près de la piste. On entend des éclats de rire quand Dolly passe. « J'ai beau être dans un autre espace-temps, je n'aime pas qu'on rie de moi ! » pense Philibert, gêné. Même les autres chevaux semblent ricaner.

Ils sont dix. Enfin, neuf, car le fameux VASISTAS n'est toujours pas là. « Ça ne peut pas être si pire que ça, c'est juste un cheval, après tout », se dit Philibert en l'attendant.

Tout à coup, le voilà. Philibert écarquille les yeux : « Oui, c'est si pire que ça ».

Le cheval doré devant lui est beaucoup plus grand que tous les autres. « Il a l'air d'une statue dans un parc ! murmure-t-il à Dolly. On dirait qu'il est bâti en métal ! Tu as vu son cou ? Il doit faire des haltères, certain ! Regarde, on voit ses veines toutes gonflées ! On arrête ça tout de suite, Dolly. »

— Non. On s'était promis un exploit, ce matin. Le voilà.

— On n'a aucune chance !

— Trop tard.

Les chevaux sont amenés à la barrière. La foule crie « Vasistas ! Vasistas ! Vasistas ! »

À un guichet, Olivier est le dernier client à miser son franc trouvé. Il consulte les noms des chevaux : il n'en connaît aucun, évidemment, et décide de choisir au hasard un nom qui lui plaît.

« Pas Vasistas, tout le monde mise sur lui. Hum. Jack Black Russel, Rosita Anna Karénina, Grand Chasseur, Blue Lagoon, Azura Désert, Bentley III, Empereur de Russie, Princesse d'Arabie. Dolly : un beau nom bien ordinaire. Ce sera elle. »

Il paye et retourne à son siège.

C'est le silence. La foule est fébrile. Les chevaux piaffent.

Un coup de feu est tiré : les chevaux s'élancent. Ils ont 3 000 mètres à parcourir.

Bien sûr, Vasistas est déjà en avance. Dolly est bonne dernière.

Bien des rires fusent à la vue de ce jockey agrippé à son cheval au lieu de le diriger. Olivier emprunte les jumelles de sa voisine. « Ouais, c'est bien moi, miser sur le pire. Attends donc, toi... » Il essaie de se rapprocher du visage du jockey, mais l'image est floue. Il ouvre son programme et vérifie les noms : Dolly... montée par Philibert Tanguay.

— Il est fou ! s'exclame-t-il en se levant. Il enchaîne aussitôt : Dolly ! Dolly ! Dolly !

Sur la piste, Philibert tient solidement la crinière de Dolly. Il se sait bon dernier. « Mais si ça peut faire du bien à son moral de cheval frustré, c'est correct, pense-t-il. Au moins, je sais qu'elle terminera la course puisque, d'après ce qu'elle m'a raconté, elle doit être pas mal endurante. »

Dolly court vite. Très vite. Aussi vite que lorsque Phil et elle ont été arrêtés pour excès de vitesse.

— Tiens-toi bien ! crie-t-elle.

Et elle décolle.

Elle dépasse le cheval en 9e position. Puis, celui en 8e. La voisine d'Olivier l'encourage, moqueuse :

— Il finira septième finalement ! À moins qu'il tombe ou s'essouffle.

— Elle, pas lui, c'est une jument.

De son côté, Philibert n'est pas trop à l'aise avec l'accélération de Dolly :

— C'est beau, Dolly, tu es une bonne jument, tu cours très vite, tu m'as convaincu. Maintenant, ralentis, d'accord ?

La réponse de Dolly est une nouvelle accélération.

Elle passe en 6e, rattrape le 5e dans une courbe. La foule commence alors à s'intéresser à ce petit cheval.

— Vous croyez qu'elle le peut ? demande soudain la voisine d'Olivier, inquiète pour sa propre mise.

— Tout se peut, madame.

Voilà Dolly en 4e place. Philibert est vert de peur.

— Tu n'iras pas plus vite, hein ? Tu ne peux pas aller plus vite. Oh, non !

Dolly accélère encore. Il ne reste qu'un tour. Elle est trempée de sueur et sa bouche est remplie d'écume. Philibert ne pourrait dire à quelle vitesse elle court et n'y pense pas de toute manière ; il se concentre pour rester sur la jument.

Quand Dolly passe en 3e place, les spectateurs bondissent de leurs sièges, bouches ouvertes, incrédules. Quand elle arrive à dépasser le cheval en 2e, tous retiennent leur souffle. C'est maintenant un duel entre elle et Vasistas.

Le grand cheval athlétique vole littéralement. On dirait que ses sabots ne touchent pas le sol. Il est loin devant et Dolly commence à montrer des signes de fatigue. Philibert sent qu'elle ralentit soudain. Mais au lieu d'en être soulagé, il se surprend lui-même à crier :

— Hé, Dolly ! Tu vas pas lâcher !

Elle ralentit encore tandis que Vasistas agrandit l'écart entre eux.

— Pense à François! Pense à toutes les fois où tu l'as sauvé! Où tu l'as sorti du pétrin!

— Je n'aurais pas pu l'emmener jusqu'à Santa Fe... j'avoue.

— Quoi? Ferme ta bouche et fonce! Ne laisse pas le gros t'impressionner! Oui, bon, je sais, il EST impressionnant. Fais semblant qu'on est poursuivis par des Cheyennes! Sauve notre peau!

Dolly part en flèche. Elle avale les mètres qui la séparent de Vasistas en se disant que voilà une bonne raison de courir. En plus de sauver son honneur.

Elle arrive nez à nez avec Vasistas et s'écrie:

— Attention, Poney Express.

Elle franchit la ligne d'arrivée une seconde avant lui.

Elle ralentit pour reprendre son souffle. Quand elle s'arrête enfin, on jette sur elle une couverture de fleurs. Mais la couverture tombe par terre: Dolly et Philibert viennent de disparaître.

En assistant à la scène, Olivier entend sa voisine le féliciter pour son gain de plusieurs millions de francs. C'est en la remerciant qu'il disparaît à son tour.

***

Les deux garçons se retrouvent dans leur chambre.

— J'étais riche! Pourquoi a-t-il fallu que je revienne!
C'est trop laid! lance Olivier, déçu.

Philibert se précipite sur l'ordinateur et cherche le
nom de François-Xavier Aubry:

— Il a vraiment existé! Et Dolly aussi!

Phil raconte alors son voyage à Olivier, qui, comme
chaque fois, se lamente:

— Pourquoi est-ce toujours à toi de vivre les aven-
tures les plus excitantes?

— C'est à cause de mon urticaire! En tombant dans
le bain, j'ai avalé du lait de jument. Je suis certain que
c'est ça. Aimerais-tu faire de l'urticaire?

Après réflexion, Olivier répond que non. Philibert
saute dans sa douche et Olivier lit jusqu'au bout l'arti-
cle trouvé sur Internet. Quand Philibert revient, Olivier lui
apprend que les exploits de Dolly et de son maître ont inspiré un système de poste à relais à cheval aux États-Unis:

— Devine comment ce système s'appelait.

— Dis.

— Poney Express.

Le lendemain, pendant que Philibert brosse son
chien Velcro, sa mère lui apporte une enveloppe:

— Je l'ai trouvée dans la poche de ton nouvel accou-
trement de jockey, ton costume d'Halloween, j'imagine.

Philibert l'ouvre, sachant qu'il s'agit du message qu'il devait livrer au Gouverneur, à Paris, Missouri :

Mon chéri, qu'as-tu envie de manger à ton retour, samedi ?

Jell-O-Man

CHAPITRE 1
Un peu de gélatine, Géraldine?

Ça m'a fait bizarre de ne pas rencontrer Roméo lors de mon voyage avec Dolly au Missouri. Je commence à penser que les molécules en folie de mon mammouth favori sont peut-être en train de revenir à la normale. Logiquement, cela signifie que les chances qu'il se matérialise encore souvent près de moi diminuent pas mal. Quand seront-elles nulles? Le sont-elles déjà?

Je n'aime pas du tout l'idée de ne plus revoir Roméo; le gros mammouth, maintenant, c'est mon ami pas du tout imaginaire même si ça en a l'apparence.

Peu importe la destination dans l'espace, le temps et l'absurde où je me trouve, je m'attends à le voir surgir à tout moment. Mais bon, ce serait quand même mieux pour lui de rester en paix dans son ère glaciaire chérie.

Sauf que sa défense trône encore dans ma chambre. Si j'étais très égoïste, je la garderais en souvenir. Ouais, ça ferait aussi de moi un voleur. Il faut donc la lui rapporter avant qu'il migre quelque part dans l'immensité arctique ou qu'un mâle pas trop accommodant cherche la chicane avec lui. Ça pourrait lui servir !

Comment être sûr de retourner à l'endroit exact où j'ai fait la connaissance de Roméo ? « On n'a qu'à concocter exactement la même recette, a dit mon frère Olivier, celle du popsicle au raisin. Simple. »

Simple ? Hum.

La porte de la chambre s'ouvre et Olivier entre, triomphant :

— Philibert, voilà le travail.

— Ce sont les mêmes ingrédients, avec les mêmes quantités ?

— Tu peux me faire confiance.

— Pas sûr...

Il ouvre la glacière dans laquelle se trouvent les popsicles au raisin. Ils ont la même couleur que ceux qu'on a mangés lors de notre premier voyage.

Nous avons décidé de profiter de cette sombre journée de novembre pour mener à bien notre tâche, alors que nos parents sont partis pour la journée à des funérailles. Nous avons été épargnés, car c'est une tante lointaine de ma mère qui nous a quittés pour un monde meilleur, à quatre-vingt-dix-neuf ans.

Velcro dort paisiblement sur mon lit et...

— Velcro ! On ne peut pas le laisser tout seul toute la journée, Olivier ! Les parents vont revenir tard et on ne sait pas combien de temps nous serons sur la banquise.

— C'est vrai, ça, on n'y avait pas pensé.

— Je vais l'emmener chez Géraldine.

— Bonne idée ! Dépêche.

Géraldine, une de nos voisines, adore Velcro. Elle aime tous les chiens, je dois dire, et à elle seule elle en a quatre, vieux comme elle. Souvent, quand on part, Velcro s'installe chez Géraldine avec son coussin et sa bouffe et il est très heureux.

J'y vais.

Ding dong !

— Bonjour, Velcro ! Bonjour, Philibert.

Géraldine salue toujours les chiens en premier.

— Olivier et moi, on s'en va passer le reste de la journée chez ma cousine et mes parents sont partis...

— Oui, oui, oui, je vais le garder ton gros toutou. Oh, mais tu tombes bien : l'électricité vient juste de manquer et je n'ai plus de piles pour ma radio, peux-tu aller m'en chercher au dépanneur ?

— C'est que...

Ouais, difficile de dire non. Je vais courir : j'en ai pour dix minutes, gros max.

En fait, j'ai battu mon record : j'en ai eu pour neuf minutes exactement.

— Voilà vos piles, Géraldine. À plus !

— Merci, Phil, c'est très gentil. Peux-tu aussi m'aider à les installer dans la radio ?

C'est vrai, elle est toute vieille et a de la difficulté avec ses doigts pleins d'arthrite.

— Tenez ! Maintenant, je me sauve...

— Attends !

Ah non...

J'ai dû ouvrir un pot de confiture tout collé. Puis, je suis monté sur un escabeau pour lui descendre une boîte de photos. Elle a insisté pour m'en montrer une d'elle toute jeune et l'a cherchée quinze minutes. J'ai réussi à m'éclipser au moment où le téléphone a sonné.

Olivier n'est pas content, évidemment :

— Qu'est-ce que tu faisais ? Tu es parti presque une heure !

— Géraldine a eu besoin de moi, je n'ai pas pu m'en sauver.

Nous ouvrons la glacière : les popsicles ont fondu. C'est ma faute :

— S'ils sont en eau, on ne se rendra certainement pas dans l'ère glaciaire...

— Il faut les faire regeler, décide mon frère.

Sauf que la panne d'électricité sévit aussi chez nous : ce qui veut dire que le congélateur ne gèle plus rien. Adieu Roméo, pour aujourd'hui en tout cas. Mais voilà qu'une idée me traverse l'esprit :

— Tu me diras si tu crois que ma théorie est bonne : on pourrait mêler le jus à du Jell-O. C'est de la gelée. Gelée, gel, ça pourrait marcher ? À moins qu'on ait du glaçage ?

— Mon petit frère, tu es un génie.

Je ne suis pas certain de ne pas faire une grosse gaffe, là. De toute manière, l'imprévu est devenu une partie du plaisir de ces voyages ; et on n'a rien d'autre à faire aujourd'hui.

Olivier court dans la cuisine et trouve un sachet de Jell-O. Il me crie :

— On est chanceux, Phil, il y en a un au raisin. C'est parti !

Il revient avec deux verres. Nous enfilons nos manteaux d'hiver et nos mitaines. Avant de boire, je prends dans mes mains la défense de Roméo :

— On va peut-être se retrouver sur la mer Arctique changée en gélatine.

— Pourvu qu'elle goûte bon, lance Olivier, en se dématérialisant.

Est-ce qu'on peut se noyer dans le Jell-O ? Voilà la question que je me pose en disparaissant à mon tour.

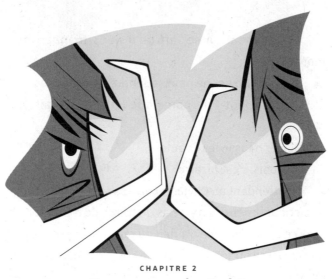

CHAPITRE 2

Un peu snob, Bob?

Comment savoir s'ils se sont bien retrouvés chez Roméo? Rien ne ressemble plus à une ère glaciaire qu'une autre ère glaciaire: c'est blanc.

Debout sur la banquise, Philibert et Olivier attendent que leurs molécules soient complètement arrivées; il manque un doigt à Phil et la tête de son frère. Pas toute sa tête, car soudainement ses deux oreilles apparaissent, flottant dans les airs.

— Tu m'entends, Olivier?

D'un signe de la main, Olivier répond que oui, enfin, il manifeste qu'il a compris la question.

— Comment ça se fait qu'il nous manque des morceaux?

Bien sûr. Olivier ne peut répondre sans bouche.

— C'est peut-être parce que le Jell-O n'était pas pris?

Olivier hausse les épaules.

— Ouais, c'est bizarre.

En attendant qu'Olivier reçoive sa tête, Phil inspecte un petit périmètre. Il n'y a pas de traces de mammouth. Il goûte à la neige: elle n'a rien du raisin. Il se penche sur une crevasse au fond de laquelle coule de l'eau presque noire; il y plonge le doigt et se le met dans la bouche: pas de doute, c'est de l'eau, salée en plus. Donc, tout est normal. Si on peut dire, considérant les membres manquants.

Frissonnant, il attache son manteau, relève son col. Il n'a pas besoin de sortir sa main gauche de sa poche pour savoir que son auriculaire n'est pas encore apparu: il peut tâter le vide à l'extrémité de sa paume.

Philibert raconte son examen des lieux:

—... donc, tout a l'air conforme. À part le léger détail qui manque au-dessus de tes épaules... Hein? Il va falloir que tu écrives, Olivier, je ne comprends pas le langage de tes mains. Ouais, je dois dire que ça m'inquiète pas mal, moi aussi.

Philibert cherche dans ses poches de manteau : il a un bout de papier chiffonné, mais pas de crayon. Olivier vide les siennes.

— On a tout pour la survie dans l'Arctique, couteau, biscuits, chauffe-bottes, mais pas un petit bout de crayon à mine à l'efface mâchouillée...

Un ombre l'enveloppe soudain :

— Qu'est-ce que tu me donnes pour que je t'aide ?

Philibert se retourne, tout content :

— Roméo ! Mon mammouth préféré ! Olivier, on est à la bonne place et à la bonne époque ! La potion a fonctionné !

— Euh... le gars pas de tête, c'est Olivier, tu dis ?

— Ouais. On attend le retour de ses molécules. Tu as un crayon ?

— Un quoi ?

— Évidemment, tu ne peux pas savoir ce que c'est, ça n'existe pas dans l'ère glaciaire.

Roméo affiche alors un immense sourire de mammouth :

— Tu as rapporté ma défense. Enfin !

Philibert la ramasse et l'installe dans l'espace qui lui est destiné : elle se met en place toute seule, comme si les molécules l'attendaient, de la même manière que celles des garçons se reforment. Enfin, d'habitude. Roméo pousse un « Ouf ! » de soulagement. Puis :

— C'est quoi, un crayon ?

— Un petit objet avec lequel tu peux tracer des mots, répond Philibert qui commence à s'inquiéter sérieusement.

— On va demander à Bob, décide Roméo.

— Bob ?

— Un vieux mammouth qui a la manie de gratter et de creuser et qui a accumulé toutes sortes de trouvailles inutiles à travers les années. Il a peut-être un « crayon » dans son bric-à-brac.

— J'en doute.

— Venez. Je vais vous présenter à ma Lili aussi. Elle sera tellement contente de me voir avec mes deux défenses !

Ils se mettent en branle, mais pas Olivier. Sa main pointe le sol pour indiquer clairement qu'il ne bougera pas. Puis, elle montre sa tête manquante.

— Ah ! Je comprends, lance Phil. Roméo, il ne peut pas nous suivre : imagine que sa tête apparaît ici et que lui est avec nous ! Voilà ce qu'on va faire...

C'est ainsi que Roméo le mammouth est chargé d'aller tout seul chercher Bob.

— Mon idée est qu'il sera difficile de le convaincre de se déplacer. Bob ne supporte pas les êtres vivants autres que les mammouths. Il les trouve inférieurs.

— Un mammouth snob! On aura tout vu! Tu peux alors lui demander de chercher un crayon et tu nous l'apporteras, avec du papier si par le plus grand des miracles il en a?

— Il va me demander ce que je lui donne en échange.

— C'est de famille, on dirait. Tiens, j'ai une barre tendre, ici, aux arachides. Ça devrait lui plaire.

— J'y vais. Je peux goûter?

Philibert lui tend celle d'Olivier:

— Tiens, tu mérites bien ça. On va t'attendre sagement.

«Peut-on agir sagement quand on n'a pas de tête?» Voilà la question que Philibert se pose en regardant s'éloigner Roméo.

***

La nuit tombe déjà sur la banquise. Philibert ne parle pas et Olivier encore moins. Au loin, l'ombre de Roméo se profile, revenant vers eux. La nuit complète envahit soudain ce coin de la planète, et le ciel au-dessus de leurs têtes, enfin celle de Philibert, brille de millions d'étoiles.

— Oh! Une étoile filante! Je souhaite que ta tête apparaisse tout de suite.

Au lieu de disparaître dans le ciel, l'étoile grossit, grossit, grossit. Elle approche d'eux dans un bruit sourd, tout d'abord, puis de plus en plus fort, jusqu'à devenir intenable même pour des ados habitués aux spectacles de rap.

Un immense cercle illuminé atterrit. Des portes s'ouvrent, une passerelle se déploie. La main d'Olivier tape l'épaule de Philibert pour savoir ce qui se passe.

— Olivier, tu ne me croiras pas, mais un vaisseau spatial vient d'apparaître devant nous. Oh! Quelqu'un s'engage sur la passerelle. Il a deux jambes, deux bras, un corps, une tête. Il est de taille moyenne. Il approche. Il marche en zigzag, d'un pas traînant, je dirais mou. Je... j'ai un peu peur, là... Cramponne-toi à moi, oui. Je te défendrai. Le... le... voilà juste devant moi. Ah ben là... Olivier, tu ne me croiras pas, vraiment pas: il est fait en Jell-O. Jell-O-Man.

CHAPITRE 3
Un peu de sirop, Roméo?

J'ai eu beau expliquer à l'extraterrestre en gelée qu'il ne pouvait pas nous emmener car on attendait la tête d'Olivier, il n'a rien voulu savoir; il a pointé sur nous une sorte de fusil à eau, ce qui a eu pour effet de nous soulever de terre et de nous transporter à l'intérieur du vaisseau.

Il est remonté sur la passerelle, et c'est le moment qu'a choisi Roméo pour arriver. Je lui ai crié: «Sauve-toi!», mais c'était déjà trop tard; Jell-O-Man l'avait fait entrer lui aussi, non sans mal. Un mammouth, c'est assez gros merci et l'énergie déployée par son fusil en plastique était limite. Roméo s'est affalé sur le sol dans un crac douteux.

— Ma défense!

Ça valait bien la peine de la lui rapporter : sa pointe recourbée vient de se briser. Pauvre Roméo! Encore embarqué dans une de nos histoires!

Mais surtout, pauvre Olivier! Sa tête le suivra-t-elle ici?

Nous sommes dans une immense pièce tout éclairée. On dirait une cuisine. Il y a des fours high-tech, des casseroles pendues à des crochets, des bols à mélanger de toutes les couleurs et grosseurs, le genre de cuisine rêvée de mes parents sur laquelle ils s'extasient dans les publicités, je ne comprends pas pourquoi. C'est vrai que ce n'est pas moi qui fais à manger, à part du Jell-O, justement. Enfin.

J'ai installé Olivier sur une chaise, genre de dentiste, et je peux voir, à ses épaules tombantes, qu'il est totalement accablé.

Roméo l'est passablement aussi.

— Euh... je n'ai pas trouvé de « crayon » chez Bob, mais comme il a adoré ta barre tendre, il est prêt à échanger un de ses trésors contre une deuxième.

— Bravo la générosité!

— Oui, il est comme ça, Bob, il a des élans parfois.

— C'est le contraire que je voulais dire, Roméo.

La porte s'ouvre et Jell-O-Man entre :

— Je suis désolé pour la tête de ton ami, mais nous devions décoller vite. Ce vaisseau est propulsé par le vent et il ne peut rester immobilisé longtemps sous peine de manquer de carburant. De toute manière, nous lui en ferons apparaître une autre, à son choix.

Olivier se lève prestement. Je le comprends.

— Je pense que ça presse, monsieur... ?

— Blobby.

— Pardon ? Bobby ?

— Non, B-L-obby. Venez par ici.

J'aime bien son nom, ça fait mou, comme lui. Il nous entraîne devant un écran tactile et il fait rouler des pages de têtes différentes. Comme Olivier ne peut les voir, donc choisir, il faudra lui en mettre une pour qu'il ait des yeux. C'est ce que je lui explique et il devient nerveux.

— Calme-toi, Olivier ! Tu crois que ton petit frère te ferait le coup de te mettre une tête de fille sur les épaules ?

Ce n'est pas que je n'en aurais pas envie. Ce serait drôle. Sauf que ce n'est peut-être pas le temps de niaiser.

Je regarde les images : un roux avec des taches de rousseur, un monsieur à moustache, un autre avec une longue barbe. On avance : oh, elle me tente celle-là, une fillette avec des tresses... Hé ! Une tête de chien ! Non, il ne pourra que japper.

— Vous ne pouvez pas lui reconstruire sa vraie tête ?

— N'aimerait-il pas mieux en avoir une plus belle ?

Ouais, c'est certain que ce n'est pas une beauté, Olivier. Mais il est habitué à sa propre tête. D'ailleurs, Olivier piétine le sol, je crois que ça veut dire non.

— Je ne pense pas, monsieur.

— Ce serait possible de lui reconstruire sa propre tête, mais il faudra qu'il nous aide. J'insisterai tout de même pour lui faire des oreilles moins décollées. Pour nous faciliter la tâche, il doit pouvoir parler, donc il a besoin d'une bouche. Il lui faut une tête.

D'autres images défilent : une tête en Jell-O vert, une autre qui ressemble à une sorte d'amibe, mais d'où sort-il ça ? Une tête de pirate toute sale avec un bandeau sur un œil et une boucle d'oreille...

— Celle-là, monsieur Blobby ! Olivier, tu vas être content !

C'est vrai ! Tous les deux, on est des passionnés d'histoires de pirates.

Blobby touche « choisir » sur l'écran. Puis « installer ». Comme par magie, la tête apparaît sur les épaules d'Olivier.

— AHHHHHHHH! Philibert, c'est quoi, l'idée?

— C'est juste en attendant. Maintenant, tu as des... enfin, un œil. Alors, Blob, je peux vous appeler Blob? Comment on fait pour qu'Olivier retrouve sa tête à lui?

— C'est très simple.

Silence.

— Et?

— Ça ne prend que quelques minutes, avec sa description et tout.

— Alors, on y va?

— Non.

Olivier ouvre sa bouche de pirate. Oh! là là, les dents qui lui restent sont noires...

— COMMENT ÇA, NON?

— Nous aimerions avoir votre collaboration pour une expérience. Pouvez-vous nous prêter vos os? Vous comprenez, nous n'en avons pas et c'est terriblement gênant.

Nous lançons en chœur:

— Non!

— C'est bien ce que je craignais. Vous aurez votre tête quand vous serez coopératifs.

Roméo s'avance, menaçant:

— Si vous touchez aux gars, vous aurez affaire à moi!

— Les vôtres sont un peu trop gros.

Blobby débouche une fiole et la lui passe au bout de la trompe. L'effet est immédiat: Roméo tombe endormi.

— Le sirop de dodo ne manque jamais. Nous disions donc?

Me voici essayant de sauver mes os, que veut me prendre un homme en Jell-O, épaulé par mon frère Olivier devenu pirate.

Ça ne fait aucun doute, la potion a très bien fonctionné: nous sommes en plein absurde!

CHAPITRE 4

Un peu mêlé, Olivier?

Une heure plus tard, tandis que Roméo ronfle comme seul un mammouth peut le faire, Philibert observe Olivier, qui commence à avoir un drôle de comportement. Il vient en effet de cracher par terre, ce qu'il ne fait jamais. Il arpente la pièce en marmonnant:

— Quiconque déserte le navire ou son poste pendant un combat sera puni de mort ou abandonné sur une île déserte.

— Hé, Olivier, ça va?

— Euh... oui. Je... Ceux qui veulent boire passé huit

heures du soir doivent rester sur le pont, sans lumière. Il est interdit de jouer de l'argent aux dés ou aux cartes.

— Qu'est-ce que tu racontes ?

— Je cite des articles du code des pirates.

— Tu le connais ?

— Ça m'est venu comme ça. Dis donc, Phil, et si on leur vendait nos os ? On pourrait peut-être se faire un joli magot.

« Mon frère est en train de perdre la raison. On dirait que la tête de pirate prend le contrôle d'Olivier », constate Philibert. Bien sûr, cela a de quoi l'inquiéter : on ne peut jamais se fier à un pirate ! Un pirate, ça ment, ça trahit, ça n'a ni père ni mère ni... frère.

— Olivier, OLIVIER, tu m'entends ?

Olivier regarde son frère drôlement :

— Comme il n'y a personne d'autre ici, j'imagine que c'est moi qu'on appelle ?

— Oui...

— Mon nom est Barbe Rasée.

Mais voilà Jell-O-Man qui entre, un masque chirurgical sur son nez mou :

— Il y a deux cent six os dans le corps humain. L'opération prendra un certain temps. Je laisserai peut-être tomber les côtes flottantes, je n'en ai pas vraiment besoin.

— Et vous pensez qu'on va se laisser faire ? lance Philibert, fâché.

— Oui.

À cet instant, Philibert comprend cette réponse : quatre Jell-O géants à l'orange apparaissent et viennent encadrer les garçons.

— On pourrait peut-être les manger ? suggère Olivier en riant.

Il saute dans le dos du géant numéro 1 qui s'aplatit sous son poids et se sépare en morceaux. Olivier en ramasse un et y goûte. Hummmmm ! C'est bon !

Jell-O-Man empoigne l'instrument qui nous a transportés ici et s'en sert pour nous suspendre dans les airs. Les trois autres montagnes ramassent les restes de leur ami. Puis ils les jettent dans un moule à l'image d'une créature humaine — avec deux bras, deux jambes et une tête — et ils versent de l'eau chaude pour diluer le corps. Une fois bien liquide, le corps est rempli de glace et mis dans un congélateur gros comme celui d'une boucherie. « La même recette que celle de ma mère pour un Jell-O », pense Philibert, tandis que Blobby prépare une grande marmite d'eau bouillante.

— Par ma barbe rasée, c'est que l'homme-guenille veut nous faire cuire ! s'exclame Olivier.

— Je vais vous faire fondre, prendre vos os, et vous reconstruire. Vous deviendrez vous-mêmes des hommes en gelée, tandis que moi, je serai enfin droit et solide ! Et je deviendrai le maître des hommes mous !

Philibert ne sait pas s'il doit rire ou pleurer. « Un autre malade qui veut régner sur son monde. Décidément, c'est partout pareil. Je vais devoir trouver les bons mots, et vite. Mais quel genre d'arguments utilise-t-on avec un homme Jell-O ?

— Écoutez, Blobby, ça ne peut pas marcher votre affaire ! Nous ne sommes pas faits en gelée, nous ne pouvons pas fondre.

— Oh ! C'est très embêtant.

— Comme vous dites. J'ai peut-être une meilleure idée : que diriez-vous si je vous construisais un squelette en métal ? Vous devez bien avoir de la broche quelque part ?

— Nous avons essayé : notre chair ne colle pas dessus.

— On pourrait essayer avec du papier mâché ?

— Trop fragile.

— Des branches d'arbre ?

— Ça aussi, on l'a testé : après un mois, les articulations commencent à craquer comme un plancher.

— Ça ne pourrait pas être des os de poulet ? On en mange assez souvent chez nous, on pourrait vous en refiler une grosse pile. Il ne resterait qu'à les attacher ensemble.

— J'ai fait l'expérience et je chantais COCORICO! chaque matin. C'est très gênant. Non, je t'assure, Philibert, vos os seront la meilleure solution.

N'écoutant que son grand cœur et, surtout, essayant de gagner du temps, Phil s'écrie:

— Tu n'as pas besoin de nos deux squelettes! Prends le mien et laisse mon frère avec le sien.

C'est ici qu'Olivier ouvre la bouche:

— Ouais, c'est ça, prends SON squelette. Après tout, il te l'offre.

Bien sûr, Philibert ne s'attendait pas à cette réponse un peu décevante venant de son propre frère. «C'est le pirate qui parle. Ce n'est pas Olivier», se répète-t-il intérieurement. Blobby secoue la tête:

— Non, j'ai besoin des deux: si jamais je me casse quelque chose, j'aurai une pièce de remplacement. Assez parlé. Puisque je ne peux pas vous faire fondre, eh bien, je vous ferai braiser, comme un rôti. Les os finiront par se détacher tout seuls.

Les deux garçons sont toujours suspendus dans les airs. Phil cherche comment il pourrait neutraliser les effets qui les maintiennent là-haut. Roméo tressaute et geint: il rêve. «À quoi peut rêver un mammouth?

se demande Phil, au milieu de ses multiples autres questions. S'il se réveillait, ce serait si facile pour lui de mettre Blobby en morceaux! Littéralement.»

L'eau de la marmite commence à bouillonner. Phil se sent impuissant. C'est alors qu'Olivier, après avoir craché dans la soupe, dit cette chose toute simple:

— Blobby, tu peux nous faire la peau, si tu veux, je te comprends. Ce n'est pas drôle d'être un homme mou toute sa vie. Mais as-tu pensé que si tu te cassais le pouce droit deux fois, tu serais obligé de le remplacer par un pouce gauche? En admettant que tu ne te serais pas cassé le gauche avant, bien entendu.

— Je pense que les probabilités qu'un tel accident se produise deux fois sont assez minces.

— Tu as raison! Hé! Il n'y a pas que du Jell-O dans ta tête! Tu as aussi la bosse des maths, on dirait.

— Merci.

— De rien. Mais admettons que les probabilités jouent contre toi et qu'un tel accident se produise, comme tu dis, tu n'aimerais pas avoir une belle grosse réserve de squelettes? Hum?

— Et où puis-je trouver cette réserve?

— Au cimetière, pardi!

«Mais oui!» pense Philibert, qui s'en veut de ne pas avoir eu l'idée lui-même.

— Cimetière? demande Blobby.

— J'imagine que quand on est fait en gelée, on n'a pas besoin de cimetière, enchaîne Olivier. C'est un endroit où on enterre les humains qui meurent.

— Ah! nous, nous sommes simplement dilués, explique Blobby.

— Bien. Je connais un de ces cimetières où tu trouveras deux cents squelettes d'hommes d'équipage qui se sont échoués sur une île déserte. Ça te ferait une belle provision, ça, non?

— Où est-ce?

— Descends-moi d'abord.

Blobby ramène Olivier sur ses pieds.

— Et moi? demande Philibert.

Olivier ne le regarde même pas:

— Bon, alors, tu nous ramènes sur Terre, et tu files vers le Pacifique. T'as une carte? Bien. Tu vois le petit point ici? C'est là: l'Île Velcro.

« Velcro? Qu'est-ce qu'Olivier mijote? Est-il oui ou non devenu un pirate? Est-il en train d'essayer de nous sauver? Qui se cache derrière ces dents cariées? » Toujours suspendu au-dessus de la marmite, Philibert cherche à comprendre son frère. Enfin, Barbe Rasée. Ou encore les deux?

Les notions de distance et de vitesse sont un petit peu différentes dans un vaisseau spatial. Je ne sais pas plus que les ingénieurs de la NASA comment il est possible de filer du milieu de l'espace jusqu'à une mini île du Pacifique en vingt minutes, mais je trouve l'idée très séduisante.

Si on pouvait se retrouver au camping sur le bord de la mer en cinq minutes au lieu de douze heures en auto! Mon père aurait moins mal au dos, ma mère ne nous casserait pas les oreilles avec ses disques d'opéra et nous, on ne serait pas obligés d'arrêter dans des garages dégueux pour aller faire pipi.

Le fait est que l'île Velcro est en vue. Enfin, pas pour moi, mais pour les autres collés aux hublots. Olivier ne m'a même pas jeté un coup d'œil. Les vingt dernières minutes, il les a passées à jouer à se colle-tailler amicalement avec les monstres à l'orange, avec des résultats surprenants : son poing passait à travers leurs biceps.

La descente est imperceptible et l'atterrissage se fait en douceur. Enfin, on me libère du plafond ! J'ai les jambes molles et je marche un peu croche, comme quand j'enlève mes patins.

La porte du vaisseau s'ouvre : nous sommes posés sur une plage bordée de cocotiers. Je n'en attendais pas moins d'une île déserte du Pacifique.

— Par ici, lance mon frère.

Olivier ouvre la marche. Blobby, les trois créatures à l'orange et moi, nous nous engageons dans une montée en grimpant d'une pierre à l'autre. C'est très à pic et je dois me tenir aux branches d'arbres. Mes compagnons en gelée y laissent des morceaux de leurs doigts, que les oiseaux viennent goûter. Oh là là, ils ont l'air de vraiment aimer ça. Je mettrai du Jell-O dans la cour pour les moineaux ; si je reviens chez moi, cela va de soi.

Ça devrait arriver à un moment donné. Mais cette fois-ci, je ne souhaite surtout pas que les effets de la potion cessent avant que mon frère retrouve sa tête à lui. Aïe! Imaginons le drame! En fait, non, j'aime autant ne pas y penser.

Il fait chaud, le soleil tape et Blobby n'apprécie pas du tout: les gouttes de sueur qui tombent de son front sont autant de morceaux de lui-même qui fondent. Je me dis que voilà peut-être notre salut, enfin, qu'il finisse en flaque sucrée. Mais en même temps, ni Olivier ni moi ne savons piloter ce vaisseau.

— Nous allons rebrousser chemin, décide Blobby, inquiet.

— Ah oui? répond Olivier-Barbe-Rasée avec un demi-sourire. Si j'étais vous, je ferais encore cinq pas. Cinq petits pas pour se tenir droit.

Blobby hésite, il est encore temps de rentrer au vaisseau sans trop de dommages. Mais juste cinq pas... Il avance jusqu'au sommet du pic:

— Oh!

En bas, une coquille de bois pourrie laisse deviner l'épave d'un navire. Lavée par les vagues, la plage ne montre aucune trace de vie, sauf pour un grand nombre de croix de bois: un cimetière! Ce qui n'est pas non plus à proprement parler un signe de vie, mais la preuve qu'il y en a eu.

— Ça, Blobby, c'est la réserve de squelettes promise!

Jell-O-Man se précipite en bas, suivi des deux monstres fondants.

— Dis donc, Barbe Rasée, comment ça se fait que tu connaissais cette histoire? Tu ne pouvais pas être sur le navire, sinon, tu serais mort.

— Exact.

— Alors?

— Jeune homme, il y a sous ces croix ce qui reste de l'équipage de *La couleuvre des mers,* pilotée par le pirate Barbe Tressée, un collègue, Dieu ait son âme. Ses hommes affamés ont voulu manger son chien, Velcro, ce qu'il n'a pas toléré. Il a mis Velcro sur un radeau de fortune avec un message. Et c'est moi le chanceux qui l'ai récupéré à quelques milles nautiques seulement.

— C'est toi qui as baptisé l'île Velcro, alors.

— Oui. Je trouve ce nom ridicule et je n'ai aucune idée de ce que ça signifie, mais bon. Je voulais y venir, mais j'ai eu le malheur d'être capturé et d'avoir la tête tranchée pour avoir écumé moi-même quelques mers et attaqué pas moins de deux cents navires!

— Félicitations!

— Je ne te le fais pas dire.

— Mais venir ici pourquoi?

— Pour le trésor que transportait Barbe Tressée !

Un trésor, maintenant ! Comme si cette aventure n'était pas déjà assez compliquée ! Normalement, ça me plairait comme idée, mais je commence à avoir peur que cette aventure tourne mal. Olivier doit récupérer sa tête au plus vite !

Mon frère se dirige vers la plage. En bas, on voit déjà une dizaine de squelettes déterrés. Je vais aider Blobby à creuser et à charger ses tas d'os pour qu'on parte d'ici avant qu'il ait fondu complètement.

***

Bon, on a une cinquantaine de squelettes. Pendant toute l'opération, j'ai éventé Blobby et les autres avec une belle branche de cocotier. Dégoulinant, Blobby se résigne à partir ; avec sagesse, il a déclaré que cinquante corps étaient suffisants pour très longtemps, d'autant plus qu'il ne court pas grands risques de se casser un membre, vu qu'il ne pratique aucun sport.

Nous rebroussons chemin. Heureusement, le soleil décline rapidement et une brise du large pas mal fraîche stoppe la fonte de Jell-O-Man et de ses acolytes.

Nous voici près de l'épave. Oh ! Qu'est-ce que c'est ? Un rond de métal dans le sable. Hé ! C'est un clou !

Je l'apporte, c'est certain! Ça me fera un souvenir trop cool!

Enfin, nous arrivons au vaisseau spatial. Plus qu'à charger les tas d'os. Mais où est Olivier?

J'entends soudain un vrombissement de moteur:

— C'est quoi, ce bruit?

— C'est le processus de décollage! répond Blobby, mauve pâle.

Du poste de pilotage, Olivier nous envoie la main. La passerelle se replie, la porte se referme. C'est pas vrai! Olivier est en train de nous abandonner ici! Enfin, Barbe Rasée.

Le vaisseau se soulève et... il redescend.

La porte s'ouvre, la passerelle se déplie. Mais... Youpi!

Faisant craquer le métal sous ses pas, Roméo le mammouth s'approche de nous. Il tient Olivier par le pantalon, avec la pointe de sa défense indemne.

— Qu'est-ce que tu me donnes pour l'avoir empêché de se sauver?

— Roméo, tu es GÉNIAL! Qu'est-ce que tu veux?

— Le coffre que ton frère a rapporté: c'est plein de jolies choses scintillantes.

Olivier se trémousse:

— Pas mon trésor! Jamais!

— Il est à toi, Roméo, dis-je.

Il le mérite bien ! Avec tout ce qu'on lui a fait subir avec cette potion qui l'a déréglé !

Olivier-Barbe-Rasée me lance un regard des plus méchants. Normal.

Mais qu'est-ce que je vois ? Mes mains ! Je peux presque voir au travers. Non ! Pas maintenant !

CHAPITRE 6

Un peu de raison, les garçons?

Le retour sur la banquise se fait aussi vite qu'à l'aller. Jell-O-Man a enfilé un squelette à sa taille, mais qui avait une jambe de bois attachée au genou gauche. Il a dû choisir une jambe ailleurs dans la récolte; le pied est un peu plus grand que le droit, mais ça ne l'importune pas du tout.

Roméo s'est assis sur son trésor, empêchant tout effort de Barbe Rasée pour le lui dérober. Philibert quant à lui est mort d'inquiétude: sa dématérialisation a commencé, mais elle est très lente.

Le vaisseau se pose. En regardant dehors, sur le sol, Philibert ne peut que constater que la tête de son frère n'est jamais apparue.

— Blobby, tu dois refaire la tête de mon frère. Tu avais promis! Il faut aller très vite, dit-il, en se demandant si Olivier ne finira pas par avoir deux têtes. Mais deux têtes valent mieux que pas une.

— Tu as raison. Viens ici, Barbe Rasée.

Olivier s'avance, s'installe devant l'ordinateur :

— Dis-moi qui tu es.

— Barbe Rasée.

Devant le manque flagrant de collaboration d'Olivier, Philibert s'impatiente :

— Je vais te décrire mon frère. Ça ira plus vite. Olivier a les cheveux frisés...

Blobby l'interrompt :

— Je dois avoir sa réponse à lui pour lui redonner non seulement ses traits, mais aussi sa raison. Sinon, il gardera l'esprit du pirate.

— Il se prend pour le pirate! Il ne se décrira donc jamais!

— On dirait que non...

— Je crois que je vais perdre la raison moi aussi! lance Philibert, découragé.

À ce moment-là, la porte du vaisseau est ouverte,

la passerelle déployée, et Roméo sort dans sa froidure préférée. Barbe Rasée s'élance derrière lui :

— Tu ne me voleras pas mon trésor !

Roméo décide de s'enfuir en courant ; il ne veut évidemment pas faire de mal à Olivier. Barbe Rasée court derrière lui. Philibert arrive en troisième et même Blobby suit, tout content d'essayer son nouveau corps à la course.

Ils ne vont pas loin : ils tombent sur Bob, le mammouth snob.

— Salut, Roméo ! Ce sont eux qui ont ces si délicieuses barres aux arachides ?

— Salut, Bob ! Oui.

— Ça tombe bien : je viens de trouver ceci et je pourrais faire un échange.

La tête d'Olivier !

Oui, il reste une barre tendre. Mais elle est dans les poches de Barbe Rasée.

— Donne-moi la barre tendre, Barbe Rasée, tente Philibert.

— Non.

— Monsieur Bob, voudriez-vous nous donner la tête gratuitement ?

— Non.

Roméo s'en mêle :

— Bob, je te l'échange contre une partie du contenu de mon coffre.

— Ça se mange ?

— Non, mais...

— Non.

Pendant ce temps, la dématérialisation se poursuit. Les corps de Philibert et d'Olivier perdent de leur rigidité et de leur substance.

— Blobby ! Lui donnerais-tu un morceau de toi ? Je ne sais pas, un peu de ton oreille ? Ton lobe ? Hein Bob ? Tu n'as jamais goûté au Jell-O au raisin, je gage !

— Non.

— Arrête de dire non !

Dans son euphorie de nouvel homme rigide, Blobby accepte de donner son lobe à Bob qui goûte, lentement.

— Et puis ? Vite ! Bob, insiste Roméo.

— Ouais, c'est vraiment bon. Mais ce n'est pas beaucoup.

Blobby lui donne son oreille au complet ; il s'en fera une autre. Les garçons sont maintenant fantomatiques.

— Miam !

Bob leur lance la tête d'Olivier. Philibert l'attrape. Il pousse sur celle de Barbe Rasée qui tombe dans la neige. Quand Olivier disparaît complètement, c'est avec sa propre tête. Phil entend Roméo crier : « Au revoir. » Puis, il se retrouve dans sa chambre.

— Tu ne te souviens vraiment de rien, Olivier ?

— Non. J'ai passé un temps interminable dans la neige jusqu'à ce que le mammouth que tu appelles Bob me ramasse.

— C'est plate, pour une fois qu'il t'arrivait quelque chose de vraiment passionnant.

— Doublement, triplement nul ! soupire Olivier.

Philibert va se chercher à boire dans la cuisine sombre. La boîte vide de Jell-O au raisin traîne sur le comptoir. Au raisin ? Philibert regarde de plus près : il y est écrit SAVEUR DE RAISON. Il éclate de rire : « Une vraie belle faute d'orthographe ! »

La lumière s'allume soudain, le frigo démarre. L'électricité revient.

Philibert ouvre son ordi et tape « île Velcro » ; elle n'existe pas. Barbe Rasée non plus. Ni Barbe Tressée. Pas plus que *La couleuvre des mers*. Mais il tombe sur un film intitulé *Le Blob* : une créature en gelée venue de l'espace terrorise les habitants d'une petite ville. En allant chercher Velcro, il ira le louer au club vidéo.

C'est en tournant la poignée de la porte qu'il se rend compte que son auriculaire n'a pas reparu.

À suivre...

Table des matières

Comment? Vous n'avez pas encore lu les autres aventures de Philibert Tanguay?

TOME 1

Philibert et Olivier commencent leurs voyages par une chasse aux mammouths, une promenade en Nouvelle-France et un passage dans un désert aux allures de fin du monde.

TOME 2

Philibert se retrouve à New York, ville-santé du futur, survole le château de Versailles et découvre la vie sur l'île de Pâques.

TOME 3

Après Rome, les deux frères se retrouvent au pays des sorciè-res. À peine remis de leur périple, ils pensent rejoindre leurs parents en croisière, mais ils tombent en plein combat naval.